Abkürzungen

AfdA	= Anzeiger für deutsches Altertum
De Boor	= *H. de Boor* und *R. Newald*, Geschichte der deutschen Literatur, Bd. I–IV, München 1949 ff.
BlVSt.	= Bibliothek des literarischen Vereins Stuttgart
Brummack	= *J. Brummack*, Die Darstellung des Orients in den deutschen Alexandergeschichten des Mittelalters, Phil. Studien und Quellen 29, Berlin 1966.
Cary	= *G. Cary*, The Medieval Alexander, hg. von *D. J. A. Ross*, Cambridge 1956.
DTM	= Deutsche Texte des Mittelalters.
Ehrismann	= *G. Ehrismann*, Geschichte der deutschen Literatur bis zum Ausgang des Mittelalters, Bd. II, München 1922 ff.
Fs.	= Festschrift.
GRM	= Germanisch-romanische Monatsschrift.
Hs(s).	= Handschrift(en).
Jb., Jbb.	= Jahrbuch, Jahrbücher.
Magoun	= *F. P. Magoun*, The Gests of King Alexander of Macedon, Cambridge 1929.
MGH	= Monumenta Germaniae Historica.
MSB	= Münchner Sitzungsberichte.
PBB	= *Paul* und *Braunes* Beiträge zur deutschen Sprache und Literatur.
PL	= Patrologiae cursus completus, series Latina.
Progr.	= Programm.
RE	= *Paulys* Realencyclopädie der classischen Altertumswissenschaft, hg. von *G. Wissowa*, Stuttgart 1893 ff.
Rez.	= Rezension.
Ross, A. h.	= *D. J. A. Ross*, Alexander historiatus. A Guide to Medieval Illustrated Alexander Literature. Warburg Institute Surveys 1, London 1963.
Ross, Ill. Med. Al.-Books	= *D. J. A. Ross*, Illustrated Medieval Alexander-Books in Germany and the Netherlands. A Study in Comparative Iconography, Cambridge 1971.
SB	= Sitzungsberichte.
v.	= Vers.
Verf.Lex.	= *W. Stammler*, Die deutsche Literatur des Mittelalters. Verfasserlexikon, Bd. I–V, Berlin 1933 ff.
ZfdA	= Zeitschrift für deutsches Altertum.
ZfdPh.	= Zeitschrift für deutsche Philologie.

Vorwort

Das Interesse an der mittelalterlichen Alexanderliteratur war in den letzten 130 Jahren größeren Schwankungen unterworfen. Die erste Epoche einer regen Forschung ist die Zeit der Entdeckungen und Editionen, sie beginnt mit *Müllers* Ausgabe des Pseudo-Kallisthenes (1846) und endet mit *Pfisters* Edition des Archipresbyters Leo (1913). In den folgenden vier Jahrzehnten geht die Zahl der Veröffentlichungen zurück. Seit 1950 ist wieder ein verstärktes Interesse sichtbar, das sich besonders den Fragen der Quellenbenutzung und Stoffauswahl und der Interpretation der Dichtungen zuwendet. Obwohl deutsche Philologen wie *Zacher*, *Ausfeld*, *Kroll* und *Pfister*, um nur einige Namen zu nennen, maßgeblich an der Erforschung der Alexanderliteratur beteiligt waren, gibt es bis heute in deutscher Sprache keine Gesamtdarstellung über dieses Gebiet. Dem Charakter der Reihe entsprechend ist die Darstellung knapp gehalten und soll der ersten Information dienen. Deshalb werden die orientalischen Alexanderdichtungen nicht berücksichtigt und die mittelalterlichen Dichtungen in Latein und den übrigen europäischen Sprachen nur dann, wenn sie für die deutschen Dichtungen von Bedeutung sind. Das Kapitel über das mittelalterliche Alexanderbild beschränkt sich auf einige große Linien. Auch bei den Literaturangaben war eine Auswahl notwendig.

Vor acht Jahren machte mich mein Lehrer *Emil Ploss* im Anschluß an seine Vorlesung in München auf die Alexanderliteratur aufmerksam. Seinem Gedenken ist dieses Buch gewidmet.

McLean, Virginia
März 1973

Herwig Buntz

Einleitung

Das Ansehen, das Alexander der Große im Mittelalter genossen hat, ist für uns nur schwer vorstellbar. Keine Gestalt der antiken Geschichte oder Literatur, weder Achill noch Odysseus, weder Cäsar noch Augustus, läßt sich annähernd mit ihm vergleichen. Über 80 Dichtungen in 35 Sprachen, von Island bis zu den Sundainseln, schildern das Leben und die Heldentaten des Makedonenkönigs.

Für diese ungeheure Nachwirkung lassen sich mehrere Ursachen nennen. Alexander ist eine außergewöhnliche historische Gestalt, deren Bedeutung in dem kometenhaften Aufstieg, dem eindrucksvollen militärischen Erfolg und der nachhaltigen Wirkung seiner Feldzüge sichtbar wird. Dieses Bild wird durch zwei geheimnisvolle Komponenten verstärkt: Alexanders Abenteuer in Persien und Indien und sein früher, jäher Tod – beides Ereignisse, die zu einer Sagenbildung geradezu herausforderten. Deshalb ist es nicht überraschend, wenn nicht historische Werke über Alexander weit verbreitet waren, sondern der Abenteuer- und Märchenroman des Pseudo-Kallisthenes.

Für das christliche Mittelalter ergeben sich zwei weitere Ursachen für die nachhaltige Wirkung. Alexander wird in der Bibel erwähnt (namentlich 1. Makkabäer 1, 1–8; auf ihn bezogen wurde auch Daniels Traum von den vier Weltreichen) und hat damit einen festen Platz im Ablauf der Heilsgeschichte. Außerdem fiel die Rezeption der antiken Alexanderliteratur in die Zeit der Kreuzzüge, in der das Interesse am Orient besonders stark war.

Die Erforschung der Alexanderliteratur stößt auf zwei Schwierigkeiten. Es gibt im Grunde keinen authentischen Text. Zu Alexander fiel jedem Dichter oder Bearbeiter, ja selbst dem Schreiber einer Handschrift etwas ein, was er dem Werk beifügte. So können gerade die wichtigen Fragen der Quellenbenutzung, der Stoffauswahl und damit der kompositorischen Leistung des einzelnen Dichters vielfach nicht endgültig beantwortet werden. Diese Schwierigkeit dürfte ein Grund dafür sein, daß noch immer die Editionen wichtiger Texte fehlen. Auch die Frage der Konzeption läßt sich nicht immer lösen. Das Alexanderbild ist bei den einzelnen Dichtern selten eindeutig, oft sogar widersprüchlich. Der Gegensatz zwischen dem habgierigen König und dem vorbildlichen Ritter, dem heidnischen Abenteurer und dem Werkzeug Gottes ist nur in wenigen Fällen gelöst.

Im folgenden wird versucht, einen Überblick über die mittelalterliche Alexanderliteratur, ihre Quellen und ihre Wirkung zu geben.

Bibliographien:

J. BERZUNZA, A Tentative Classification of Books, Pamphlets and Pictures Concerning Alexander the Great and the Alexander Romances, Privatdruck 1939.

O. MAZAL, Der griech. und byzantin. Roman in der Forschung von 1945 bis 1960, in: Jb. der österr. byzantin. Ges. 11/12 (1962/63), S. 30–50.

Literatur:

K. KINZEL, Zur Kenntnis der Alexandersage im Mittelalter, in: ZfdPh. 15 (1883), S. 222–229.

P. MEYER, Alexandre le Grand dans la littérature du moyen âge, 2 Bde., Paris 1886.

TH. NÖLDEKE, Beiträge zur Gesch. des Alexanderromans. Denkschriften der kaiserl. Ak. d. W., phil.-hist. Kl. 38, Wien 1890.

F. KAMPERS, Alexander der Große und die Idee des Weltimperiums in Prophetie und Sage, in: Studien und Darstellungen aus dem Gebiete der Geschichte 1 (1901), S. 115–192.

W. HOFFMANN, Das literarische Porträt Alexanders des Großen im griechischen und römischen Altertum, Leipziger hist. Abhandlungen VIII, 1907.

FR. PFISTER, Zur Geschichte der Alexandertradition und des Alexanderromans, in: Wochenschrift für Klass. Phil. 28 (1911), 1152–1159.

F. P. MAGOUN, The Gests of King Alexander of Macedon. Two Middle-English Alliterative Fragments Alexander A and Alexander B, Cambridge 1929.

A. HÜBNER, Alexander der Große in der deutschen Dichtung des Mittelalters, in: A. H., Kleine Schriften zur deutschen Philologie, hg. von H. KUNISCH und U. PRETZEL, Berlin 1940, S. 187–197.

FR. PFISTER, Studien zum Alexanderroman, in: Würzburger Jbb. 1 (1946), S. 29–66.

A. ABEL, Le roman d'Alexandre; légendaire médiéval, Brüssel 1955.

G. CARY, The Medieval Alexander, hg. von D. J. A. ROSS, Cambridge 1956 (Rez. J. STOROST, in: Anglia 75, 1957, S. 234–244; FR. PFISTER, in: Gnomon 32, 1960, S. 360–365).

FR. PFISTER, Alexander der Große in den Offenbarungen der Griechen, Juden, Mohammedaner und Christen. Dte. Ak. d. W. zu Berlin, Schriften der Sektion für Altertumswissenschaft 3, Berlin 1956.

E. FRENZEL, Stoffe der Weltliteratur, Stuttgart 1962, S. 26–29.

D. J. A. ROSS, Alexander historiatus. A Guide to Medieval Illustrated Alexander Literature. Warburg Institute Surveys 1, London 1963.

J. BRUMMACK, Die Darstellung des Orients in den deutschen Alexandergeschichten des Mittelalters, Phil. Studien und Quellen 29, Berlin 1966.

D. J. A. ROSS, Illustrated Medieval Alexander-Books in Germany and the Netherlands. A Study in Comparative Iconography, Cambridge 1971.

I. Die Quellen der Alexanderdichtung

1. Der Alexanderroman des Pseudo-Kallisthenes

Am Anfang der Alexanderliteratur steht eine mündliche Erzähltradition, die wahrscheinlich schon zu Lebzeiten Alexanders beginnt und aus der bald die ersten kleinen Schriften entstehen. Relativ spät, mehr als 600 Jahre nach Alexanders Tod, entsteht in Alexandria das Werk, das zur Quelle für fast alle späteren Dichtungen werden sollte. Der Verfasser, in der Überlieferung fälschlich mit dem von Alexander hingerichteten Historiker Kallisthenes (370–327 v. Chr.) gleichgesetzt, hat für seinen Roman mindestens fünf schriftliche Quellen benutzt:

a) die Alexanderbiographie eines Historikers, der besonders dramatische Szenen liebte (Philipps zweite Heirat, Tod des Darius); diese Biographie, die zwischen dem 1. Jh. v. Chr. und dem 2. Jh. n. Chr. in Ägypten entstand, bildet das Gerüst des Alexanderromans;
b) einen Briefroman aus mehreren kürzeren Briefen (Briefwechsel zwischen Alexander, Darius, Poros und persischen Satrapen) aus der alexandrinischen Gelehrtenschule um 100 v. Chr.;
c) einen längeren, Alexander zugeschriebenen Brief an Aristoteles und Olympias über seine wunderbaren Abenteuer in Indien, der auf ältere Sagen zurückgeht;
d) eine Schrift über Alexanders Gespräch mit den Brahmanen (oder Gymnosophisten);
e) eine Schrift über Alexanders letzte Tage, seinen Tod und sein Testament, die schon um 320 v. Chr. im Umkreis des Reichsverwesers Perdikkas entstand und gegen Antipater, den Regenten in Makedonien, gerichtet war.

Alle diese Schriften waren selbständige Werke und wurden unabhängig voneinander überliefert, doch benutzte der Verfasser des Alexanderromans eine Vorlage, in der die letzten vier bereits vereinigt waren. Seine eigene Leistung ist denkbar gering. Er kompilierte seine beiden Quellen, indem er die Texte oft recht willkürlich kürzte oder erweiterte. Von ihm selbst stammt lediglich die Einbeziehung der Nektanebussage (Alexanders Abstammung von dem ägyptischen König und Zauberer) und die Erfindung oder Einfügung von drei Episoden (Alexander im Lager des Darius, der Zweikampf mit Poros, Alexanders Besuch bei der Königin Kandake). Wahrscheinlich war der anonyme Verfasser wenig gebildet, denn er vertauscht oft die Reihenfolge der Ereignisse und seine geographischen Vorstellungen sind primitiv. So wird zum Beispiel der Perserfeldzug unterbrochen durch einen Feldzug gegen Italien und Karthago und durch die Eroberung von Theben und Sparta. Trotz dieser Schwächen hat er den Publikumsgeschmack getroffen und ein echtes Volksbuch geschaffen, das in den folgenden Jahrhunderten mehr als 80 Übersetzungen und Bearbeitungen erlebte.

Das Original des Alexanderromans ist nicht erhalten.

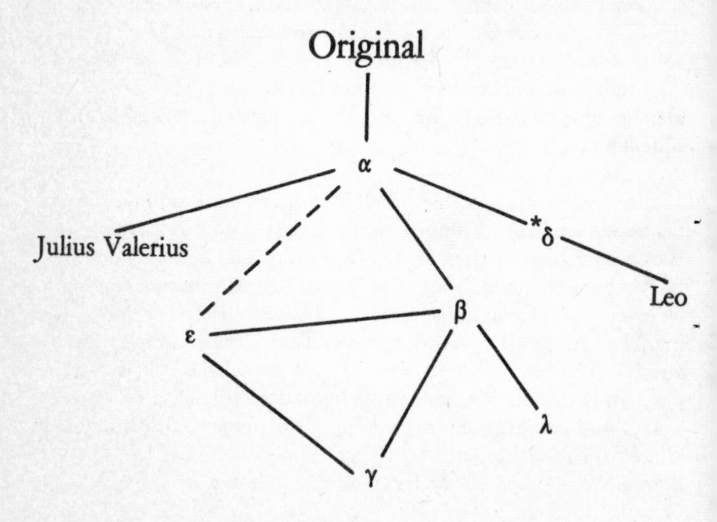

(nach U. von Lauenstein, S. VII)

Am nächsten steht ihm die Rezension α. Sie wird repräsentiert durch die Handschrift A (Cod. Parisinus 1701), die jedoch erst im 11. Jh. geschrieben wurde und einen wenig zuverlässigen, oft willkürlich gekürzten Text bietet. Deshalb müssen zur Rekonstruktion des Originals auch die übrigen Rezensionen und die älteren Übersetzungen (Julius Valerius) herangezogen werden. Von den übrigen fünf Rezensionen sind vier (β, γ, ε, λ) durch Handschriften vertreten. Doch spielen sie für die abendländische Alexanderdichtung keine Rolle. Keine Handschrift ist dagegen von der Rezension * δ erhalten, die die Vorlage für den syrischen Alexanderroman und die lateinische Übersetzung des Archipresbyters Leo war.

Editionen:

C. Müller, Scriptores rerum Alexandri Magni. Pseudo-Callisthenes. Paris 1846 (Anhang zu F. Dübner, Arriani Anabasis et Indica. Text der Hs. B mit Lesarten des Hss. A und C).

H. Meusel, Pseudo-Callisthenes. Nach der Leidener Hs. hg. In: Jbb. für Class. Phil. und Pädagogik, Suppl. V, Leipzig 1871, S. 701–816 (Hs. L der Rezension β).

W. Kroll, Historia Alexandri Magni (Pseudo-Callisthenes). I: Recensio vetusta, Berlin 1926 (Hs. A, von der geplanten Edition aller Rezensionen ist nur dieser Band erschienen).

H. van Thiel, die Rezension λ des Pseudo-Kallisthenes. Bonn 1959 (Teiledition der Rez. λ nach 5 Hss.).

L. Bergson, Der griechische Alexanderroman – Rezension β. Acta Universitatis Stockholmiensis XV, 3, Uppsala 1965.

Der griechische Alexanderroman. Rezension, hg. von U. von Lauenstein, H. Engelmann und F. Parthe, Beiträge zur klass. Phil., H. 4, 12, 33, Meisenheim 1962–1969.
(Eine Ausgabe der Rezension ε wird von J. Trumpf vorbereitet).

Übersetzungen:

H. Weismann, Alexander, Gedicht des 12. Jahrhunderts, vom Pfaffen Lamprecht, Frankfurt 1850 (im 2. Teil Übersetzung nach dem Text von Müllers Edition).

A. Ausfeld, Der griech. Alexanderroman, hg. von W. Kroll, Leipzig 1907 (Untersuchung, Übersetzung und Kommentar).
(Eine neue griechisch-deutsche Ausgabe wird von H. van Thiel vorbereitet).

Literatur:

J. Zacher, Pseudocallisthenes. Forschungen zur Kritik und Gesch. der ältesten Aufzeichnungen der Alexandersage, Halle 1867.

A. Ausfeld, Zur Kritik des griech. Alexanderromans, Progr. Bruchsal 1894.

O. Weinreich, Der Trug des Nektanebos. Wandlungen eines Novellenstoffes, Leipzig und Berlin 1911.

E. Rohde, Der griech. Roman, Leipzig [3]1914, S. 197–203.

W. Deimann, Abfassungszeit und Verfasser des griech. Alexanderromans, Diss. Münster, Brilon 1914.

W. Kroll, Kallisthenes, in: RE X, 2, 1707–1726.

Magoun, S. 22 ff.

E. Schwartz, Fünf Vorträge über den griech. Roman, Leipzig [2]1943, S. 107 ff.

R. Merkelbach, Pseudo-Kallisthenes und ein Briefroman über Alexander, in: Aegyptus 27 (1947), S. 144–158.

Ders., Zum griech. Alexanderroman (Pseudo-Kallisthenes), Diss. Hamburg 1947.

Ders., Die Quellen des griech. Alexanderromans, Zetemata 9, München 1954 (bisher gründlichste Analyse; Rez. Fr. Pfister, in: Byzant. Zeitschrift 53, 1960, S. 124–126).

CARY, S. 9 ff.
ROSS, A. h., S. 5 ff.
J. TRUMPF, Eine unbekannte Sammlung von Auszügen aus dem griech. Alexanderroman, in: Classica et Mediaevalia 26 (1965), S. 83–100.

2. *Kleinere antike Texte über Alexander*

Die kürzeren Werke über Alexander, die zum Teil schon in den spätantiken Alexanderroman eingearbeitet sind, werden auch unabhängig von ihm tradiert und von den späteren Bearbeitern immer wieder für Ergänzungen und Korrekturen herangezogen. Die wichtigsten dieser Werke behandeln Alexanders indische Abenteuer.

Das *Commonitorium Palladii* ist kein einheitlicher Traktat, sondern bereits ein Komposittext aus mehreren kleineren Schriften. Nur der erste Teil (in MÜLLERS Edition III, 7–10) stammt wahrscheinlich von dem Mönch und späteren Bischof Palladius (um 400 n. Chr.). Er soll den Eindruck eines Reiseberichtes erwecken, doch geht er auf ältere literarische Quellen (Onesikritos, Megasthenes) zurück. Die anderen Teile (III, 11–16) sind Bruchstücke über die Begegnung Alexanders mit den Brahmanen und ein Gespräch mit deren König Dindimus. In diesem Teil, der häufig auch als *Dindimus über die Brahmanen* zitiert wird, kritisiert der indische König Alexander und die Griechen und verherrlicht das asketische Leben seines Volkes. Der Text stammt wahrscheinlich aus dem Bereich kynisch-stoischer Philosophen, Verfasser ist möglicherweise Arrian. Das *Commonitorium Palladii* findet sich in zwei Handschriften des Alexanderromans (Hss. A und C), ist aber auch unabhängig in mehreren abweichenden Fassungen überliefert und mehrfach ins Lateinische übersetzt.

Die *Collatio Alexandri cum Dindimo per litteras factas* ist inhaltlich mit dem *Commonitorium Palladii* verwandt, doch wahrscheinlich jünger und ursprünglich lateinisch abgefaßt. Sie enthält einen Briefwechsel zwischen Alexander und Dindimus über das Leben der Brahmanen, bei dem Alexander und die Griechen viel positiver bewertet werden. Die *Collatio*, von der drei Fassungen existieren, ist in mehr als 60 Handschriften überliefert, häufig zusammen mit der *Epistola Alexandri* und der gekürzten Übersetzung der Julius Valerius (sog. ZACHER-*Epitome*).

Der am meisten verbreitete Text der gesamten Alexanderliteratur ist mit über 100 Handschriften die *Epistola Alexandri ad Aristotelem*, in der angeblich Alexander die abenteuerlichen Erlebnisse auf seinem Indienzug schildert. In gekürzter Form ist der Brief schon in den Alexanderroman eingefügt (III, 17). Er wird in der lateinischen Übersetzung von vielen späteren Bearbeitern als Nebenquelle benutzt.

Commonitorium Palladii und *Dindimus über die Brahmanen*:

H. Becker, Die Brahmanen in der Alexandersage, Progr. Königsberg 1889.

Fr. Pfister, Kleine Texte zum Alexanderroman. Sammlung vulgärlat. Texte 4, Heidelberg 1910, S. 1–9 (Edition einer lat. Übersetzung).

U. Wilcken, Alexander der Große und die indischen Gymnosophisten, in: SB der preuß. Ak. d. W., Berlin 1923, S. 150–183.

Magoun, S. 44–47.

Fr. Pfister, Das Nachleben der Überlieferung von Alexander und den Brahmanen, in: Hermes 76 (1941), S. 143–169.

A. Kurfess, Palladius, in: RE XVIII, 3, 203–207.

Cary, S. 12f.

G. Zuntz, Zu Alexanders Gespräch mit den Gymnosophisten, in: Hermes 87 (1959), S. 436–440.

J. D. M. Derret, The History of *Palladius on the Races of India and the Brahmans*, in: Classica et Mediaevalia 21 (1960), S. 64–135 (Untersuchung und Edition des griechischen Textes nach einer Hs.)

G. C. Hansen, Alexander und die Brahmanen, in: Klio 43–45 (1965), S. 351–380.

Palladius de gentibus Indiae et Bragmanibus, hg. von W. Berghoff, Beiträge zur klass. Phil. 24, Meisenheim 1967 (Kritische Edition des griech. Textes und Bibliographie).

Collatio Alexandri cum Dindimo:

Fr. Pfister, Kleine Texte, S. 10–20 (Edition).

J. Makowsky, De *Collatione Alexandri Magni et Dindimi*, Diss. Breslau 1919.

Magoun, S. 46f.

G. Cary, A Note on the Medieval History of the *Collatio Alexandri cum Dindimo*, in: Classica et Mediaevalia 15 (1954), S. 124–129.

Cary, S. 13f.

D. J. A. Ross, A Checklist of Manuscripts of Three Alexander Texts: The *Julius Valerius Epitome*, the *Epistola ad Aristotelem* and the *Collatio cum Dindimo*, in: Scriptorium 10 (1956), S. 127–132.

Ross, A. h., S. 30–32.

Epistola Alexandri ad Aristotelem:

G. Rollenhagen, Vier Bücher Wunderbarlicher Indianischer Reysen ... Magdeburg 1603 (älteste deutsche Übersetzung der Epistola, S. 1–30).

H. Becker, Zur Alexandersage. Alexanders Brief über die Wunder Indiens. Progr. Königsberg 1894.

Ders., Zur Alexandersage. Der Brief über die Wunder Indiens in der *Historia de preliis*, Progr. Königsberg 1906.

Fr. Pfister, Kleine Texte, S. 21–41 (Edition).

Magoun, S. 47–49.

W. W. Boer, *Epistola Alexandri ad Aristotelem* ad codicum fidem edita et commentario critico instructa, Diss. Leiden 1953 (Kritische Edition nach 67 Hss., zwei fehlende verzeichnet M. de Marco, in: Aevum 24, 1955, S. 275–279).
Cary, S. 14–16.
D. J. A. Ross, in: Scriptorium 10.
Ross, A. h., S. 27–30.

3. Alexanderhistoriker, Wunderberichte und christlich-jüdische Sagen

Neben dem Alexanderroman und den kleineren Texten gab es zahlreiche antike und mittelalterliche Berichte über Alexander, von denen viele ebenfalls auf die Alexanderdichtung Einfluß haben.

Dabei ist die Bedeutung der historischen Werke vergleichsweise gering. Die ersten Alexanderbiographien von Ptolemaios und Kleitarchos in griechischer und von Cornelius Nepos in lateinischer Sprache waren im Mittelalter unbekannt. Wenig gelesen wurden Arrian und Plutarch. Unter den Historikern überwiegen die, deren Werke weniger kritisch sind und die sich stärker an die Alexandersagen anlehnen: die *Historia Alexandri Magni Macedonis* des Curtius Rufus (auch in interpolierten Fassungen verbreitet), die *Epitoma Historiarum Philippicarum* des Justinus (Auszug aus der verlorenen Universalgeschichte des Pompeius Trogus) und die *Historiae adversum paganos* des Paulus Orosius. Anekdoten über Alexander bringen zahlreiche antike Autoren, z. B. Cicero, Seneca oder Valerius Maximus.

Einzelne Wunderberichte, meist naturwissenschaftlichen Inhalts, finden sich in den Schriften des Plinius, Solinus und Isidor von Sevilla. Doch werden selten die antiken Werke direkt benutzt, vielmehr schöpfen die mittelalterlichen Dichter aus zeitgenössischen Chroniken oder Enzyklopädien. Die beiden wichtigsten dieser Enzyklopädien, die antikes Wissen über Alexander vermitteln, sind das *Speculum historiale* des Vincenz von Beauvais (gest. 1264) und die *Historia scholastica* des Petrus Comestor (gest. um 1180).

Daneben gibt es eine christlich-jüdische Sagentradition um den Makedonenkönig. Josephus berichtet, daß Alexander bei seinem Besuch in Jerusalem den Hohenpriester Jadus kniefällig verehrt und die Juden teilweise von Steuern befreit. Eine andere jüdische Sage erzählt, daß Alexander die Gebeine des Propheten Jeremia in das neugegründete Alexandria überführen läßt, um Schlangen aus der Stadt zu vertreiben. Die beiden einflußreichsten Sagen aus diesem

Bereich handeln von der Einschließung der Stämme Gog und Magog und von Alexanders Zug zum irdischen Paradies.

Josephus erwähnt, daß Alexander die Skythen durch eiserne Tore am Kaukasus an weiteren Einfällen hinderte, und an einer anderen Stelle setzt er die Skythen mit den apokalyptischen Völkern Gog und Magog gleich. Die daraus entstehende Sage, Alexander habe mit Gottes Hilfe die beiden Stämme bis zum Beginn der Endzeit eingeschlossen, wurde in Europa vor allem durch die *Revelationes* des Pseudo-Methodius (7. Jh. n. Chr.) bekannt und in fast allen Alexanderdichtungen, aber auch in Chroniken, Erdkarten und Reisebeschreibungen übernommen. Eine abweichende Version setzt an Stelle von Gog und Magog zehn abgefallene jüdische Stämme, die als Strafe für ihre Gottlosigkeit von Alexander eingeschlossen werden.

Alexanders Zug zum irdischen Paradies, wo er einen Wunderstein als Tribut erhält, geht auf eine Erzählung aus dem Talmud zurück. Im Mittelalter war sie unter dem Titel *Alexandri Magni iter ad paradisum* bekannt, in einigen Handschriften wird als Verfasser dieses Textes ein *Salamon Didascalus Iudaeorum* genannt.

Alexanderhistoriker:

S. Dosson, Etude sur Quinte-Curce, sa vie et son œuvre, Paris 1887.

E. Mederer, Die Alexanderlegenden bei den ältesten Alexanderhistorikern, Würzburger Studien zur Altertumswissenschaft VIII, Stuttgart 1936.

Cary, S. 16f.; S. 62; S. 83ff.

Ross, A. h., S. 74ff.

Wunderberichte und Enzyklopädien:

Vincentii Burgundi Speculum quadruplex, Douai 1624 (über Alexander im *Speculum historiale*, S. 117–137).

Petrus Comestor, *Historia scholastica*, hg. von E. Navarro, J.-P. Migne, PL 198, Paris 1885 (de Alexandro 1496–1498).

Cary, S. 23; S. 72–74.

S. R. Daly, Peter Comestor, Master of Histories, in: Speculum 32 (1957), S. 62–73.

Ross, A. h., S. 36f.; S. 77ff.

Christlich-jüdische Sagen:

L. Donath, Die Alexandersage in Talmud und Midrasch, mit Rücksicht auf Josephus Flavius, Pseudo-Callisthenes und die mohammedan. Alexandersage, Diss. Rostock, Fulda 1873.

Fr. Pfister, Eine jüdische Gründungsgeschichte Alexandrias, SB der Heidelberger Ak. d. W. 1914, phil.-hist. Kl. 5, 11. Abh.

H. Bassfreund, Alexander der Große und Josephus, Diss. Gießen 1920.

Cary, S. 18; S. 126ff.

Ross, A. h., S. 33f.

Gog und Magog:

E. SACKUR, Sibillinische Texte und Forschungen, Halle 1898 (Edition des Pseudo-Methodius S. 1–96).

A. R. ANDERSON, Alexander and the Caspian Gates, in: Transactions of the American Philological Association 59 (1928), S. 130–163.

FR. PFISTER, Gog und Magog, in: Hwb. des dt. Aberglaubens, Bd. III, 910–918.

A. R. ANDERSON, Alexander's Gate, Gog and Magog, and the Inclosed Nations. Monographs of the Medieval Academy of America 5, Cambridge/Mass., 1932.

CARY, S. 18; S. 130ff.

ROSS, A. h., S. 34f.

Iter ad paradisum:

J. ZACHER, *Alexandri Magni Iter ad Paradisum*, Königsberg 1859 (Edition nach zwei Hss.)

R. HARTMANN, Alexander und der Rätselstein aus dem Paradies, in: A Volume of Oriental Studies, Presented to E. G. BROWN, Cambridge 1922, S. 179–185.

A. HILKA, *Alexandri Magni iter ad paradisum*, in: L. P. G. PECKHAM und M. S. LA DU, *La Prise de Defur* and *Le Voyage d'Alexandre au Paradis Terrestre*, Elliott Monographs 35, Princeton 1935 (Edition nach 14 Hss.).

CARY, S. 18ff.

L.-I. RINGBOM, Paradisus terrestris. Myt, Bild och Verklighet, Helsinki 1958.

J. QUINT, Die Bedeutung des Paradiessteines im *Alexanderlied*, in: Formenwandel, Fs. für P. BÖCKMANN, hg. von W. MÜLLER-SEIDEL und W. PREISENDANZ, Hamburg 1964, S. 9–26.

D. J. A. ROSS, An Exemplum of Alexander the Great, in: Modern Language Review 59 (1964), S. 559–560.

4. *Die lateinischen Übersetzungen des Alexanderromans*

Der griechische Alexanderroman hat nicht unmittelbar auf die abendländische Dichtung gewirkt, sondern er wurde durch zwei Übersetzungen ins Lateinische in Europa bekannt.

a) Julius Valerius: Res gestae Alexandri Macedonis

Die ältere dieser Übertragungen stammt von Julius Valerius Polemius, der den griechischen Alexanderroman für ein Werk Äsops hält. Über den Autor ist wenig bekannt, vielleicht war er ein Freigelassener aus Nordafrika und mit dem römischen Konsul Polemius (338 n. Chr.) identisch. Die Übersetzung, die den Titel *Res gestae Alexandri Macedonis* trägt, muß um diese Zeit entstanden sein, denn sie wird bereits für das *Itinerarium Alexandri Magni* benutzt, das um 340 n. Chr. geschrieben und dem römischen Kaiser Constantius II. (337–361) anläßlich seines Perserfeldzuges gewidmet wurde.

Julius Valerius hält sich eng an die griechische Vorlage und teilt sein Werk ebenfalls in drei Bücher, denen er die Titel *Ortus*, *Actus* und *Obitus* gibt. Stilistisch ist die Übersetzung eine merkwürdige Mischung aus Neubildungen, spätlateinischen Vulgarismen und Formeln aus der klassischen Literatur. Überliefert ist sie in drei vollständigen Handschriften, von denen jedoch die wichtigste Turiner Handschrift (7. Jh.) verbrannt ist. Die Wirkung des vollständigen Textes war gering. Weit wichtiger wurde eine gekürzte Fassung (Epitome), die eine eigene Überlieferungsgeschichte entfaltete.

Die älteste gekürzte Fassung (nach dem ersten Herausgeber ZACHER-*Epitome*) entstand vor dem 9. Jh. und ist in mehr als 60 Handschriften überliefert. Bis zum 12. Jh. war dieser Text die beliebteste und am meisten verbreitete Version des Alexanderstoffes. Die Kürzung des Originals erfolgte recht willkürlich, Buch II ist stärker gekürzt als Buch I, Buch III ist nur noch ein Fragment. Wahrscheinlich beabsichtigte der Bearbeiter eine Angleichung dieses Teils an die *Epistola*, die meistens gemeinsam mit der *Epitome* (in fast 50 Handschriften) überliefert ist.

Die ZACHER-*Epitome* wurde später erneut bearbeitet und mit Hilfe des ungekürzten Textes erweitert. Davon sind zwei Handschriften erhalten (*Oxford-* und *Montpellier-Epitome*). Unabhängig davon wurde das Werk des Julius Valerius im 15. Jh. erneut gekürzt und durch andere Quellen (z. B. Petrus Comestor) ergänzt, um den Text in eine Historienbibel einzufügen (*Liegnitz-Epitome* nach der Handschrift).

Editionen:

Vollständiger Text:

A. MAI, Iulii Valerii Res Gestae Alexandri Macedonis translatae ex Aesopo Graeco, Mailand 1817 (= A. MAI, Itinerarium Alexandri, Frankfurt 1818, S. 89–304).

C. MÜLLER, in: Scriptores rerum Alexandri Magni, Paris 1846.

B. KÜBLER, Iuli Valeri Alexandri Polemi Res Gestae Alexandri Macedonis translatae ex Aesopo Graeco, Leipzig 1888.

Epitome:

J. ZACHER, Iulii Valerii Epitome, Halle 1867.

G. G. CILLIE, De Iulii Valerii Epitoma Oxoniensis, Diss. Straßburg 1905 (Edition der *Oxford-Epitome* nach der Hs. des Corpus Christi-College, Nr. 82).

A. HILKA, Studien zur Alexandersage, in: Roman. Forschungen 29 (1910), S. 1–71 (Edition der *Liegnitz-Epitome* nach der Hs. der Petrus- und Pauluskirche und der *Montpellier-Epitome* nach der Hs. der Fac. de Médecine, Nr. H. 31).

Literatur:

A. Hilka, Eine bisher unbekannte lat. Version des Alexanderromans aus einem Codex der Petro-Paulinischen Kirchenbibl. zu Liegnitz, in: Jahresbericht der Schles. Gesellschaft für vaterländ. Kultur 4 (1907), S. 24–33.

W. S. Teuffel, Gesch. der röm. Literatur, Bd. III, Berlin ^{6}1913, S. 208 f.

M. Schanz, Gesch. der röm. Litteratur bis zum Gesetzgebungswerk des Kaisers Justinian, bearbeitet von C. Hosius, München ^{2}1914, VI, 1, S. 47–50.

W. Kroll, Julius Valerius, in: RE X, 1, S. 846–850.

Magoun, S. 25 ff.

B. Axelson, Zum Alexanderroman des Julius Valerius, in: Arsberättelse. Bulletin de la Société des Lettres de Lund 1935–36, S. 29–60.

D. J. A. Ross, Letters of Alexander. A New Partial Ms. of the Unabbreviated Julius Valerius, in: Classica et Mediaevalia 13 (1952), S. 38–58.

Cary, S. 24–27.

D. J. A. Ross, in: Scriptorium 10.

Ross, A. h., S. 9 ff.

b) Die Übersetzung des Archipresbyters Leo und ihre Bearbeitungen

Im Gegensatz zu den wenigen Informationen, die wir über Julius Valerius besitzen, wissen wir über die zweite lateinische Übersetzung, ihren Ursprung und ihren Verfasser sehr gut Bescheid. In einem Prolog, der dem Werk vorangestellt ist, erfahren wir, daß der Archipresbyter Leo aus Neapel während der Regierungszeit der oströmischen Kaiser Konstantin (945–959) und Romanos (959–963) im Auftrag der Herzöge Johannes III. (928–968/69) und Marinus II. (944–975) von Kampanien eine Reise nach Byzanz unternimmt. Ein Grund für die Reise, deren Zeitpunkt sich aus den Regierungsdaten ergibt (zwischen 945 und 959), wird nicht genannt, wahrscheinlich hatte Leo eine diplomatische Mission. In Byzanz entdeckt er eine Handschrift des Alexanderromans, von der er eine Abschrift anfertigt und sie mit nach Italien nimmt. Einige Jahre später (um 968/69) überträgt er sie ins Lateinische und gibt ihr den Titel *Nativitas et victoria Alexandri Magni regis.* Die Übertragung in wenig kunstvolles Latein, die sich eng an die griechische Vorlage (Rez. * δ) hält, ist im Original nicht erhalten. Wie der griechische Alexanderroman erlebte das Werk mehrere Bearbeitungen.

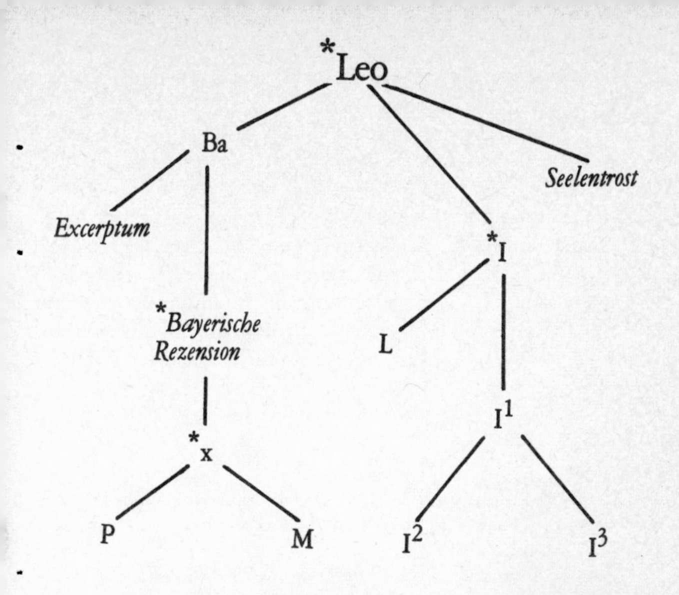

(nach Fr. Pfister, in: Classica et Mediaevalia 21)

Dem Original am nächsten stehen eine Bamberger Handschrift, die kurz nach 1000 in Süditalien geschrieben wurde (Ba: Staatsbibliothek, E III 14), und die Handschrift im Lambeth Palace in London (L: Ms. 342, um 1300). Auf die Bamberger Handschrift geht eine nicht erhaltene *Bayerische Rezension* zurück, der über mindestens eine Zwischenstufe zwei weitere Handschriften angehören (P: Paris, Bibl. Nat., Nouv. acq. lat. 310; M: München, Clm. 23489). Außerdem wurde aus der Bamberger Handschrift um 1100 ein umfangreiches Exzerpt für die Weltchronik des Frutolf von Michelsberg angefertigt.

Wichtiger in ihrer Wirkung sind jedoch die interpolierten Fassungen. Im Gegensatz zu Leos Original hat die Forschung die interpolierten Rezensionen nach dem Titel einer Inkunabelausgabe *Historia Alexandri Magni regis Macedonis de preliis* als *Historia de preliis* (Hdp) bezeichnet. Im 11. Jahrhundert wird Leos Text stilistisch geglättet und durch Zusätze aus der *Collatio*, der *Epistola* und dem *Commonitorium Palladii* erweitert. Von dieser Fassung (I^1) sind 18 Handschriften und zwei Drucke (Köln 1472, Utrecht 1475) erhalten.

Die sorgfältigste und beste Bearbeitung ist die Rezension I^2 (12. Jh.), die von den meisten mittelalterlichen Dichtungen als

Quelle benutzt wurde. Der sehr belesene Bearbeiter ändert geschickt die Reihenfolge und verbessert so die Komposition des Werkes. Negative Äußerungen über Alexander werden gestrichen, der Text wird durch Zusätze aus Josephus, Pseudo-Methodius, vor allem aber aus Orosius ergänzt (deshalb auch *Orosius-Rezension* bei AUSFELD). Von I^2 gibt es 37 Handschriften.

Die dritte Fassung (Rez. I^3, um 1200), hält sich enger an I^1, doch unterscheidet sie sich durch eine gezierte, schwülstige Sprache und moralische Reflexionen. Da viele Interpolationen in I^3 auf orientalische Quellen zurückgehen, hat PFISTER einen jüdischen Bearbeiter vermutet. Überliefert ist I^3 in 39 Handschriften und mehreren Frühdrucken (Straßburg 1486, 1489, 1494; ein nicht lokalisierter Druck um 1490).

Überlieferung:
Handschriften:

A. HILKA und F. P. MAGOUN, A List of Manuscripts Containing Texts of the *Historia de Preliis Alexandri Magni,* Recensions I^1, I^2, I^3, in: Speculum 9 (1934), S. 84–86.

F. P. MAGOUN, Photostats of the *Historia de Preliis Alexandri Magni* (I^3), in: Harvard Library Bulletin 1 (1947), S. 377–379.

D. J. A. ROSS, A New Manuscript of Archpriest Leo of Naples, *Nativitas et victoria Alexandri Magni,* in: Classica et Mediaevalia 20 (1959), S. 98–158 (Diskussion und Edition von L).

FR. PFISTER, Eine neue Handschrift des Alexanderromans des Archipresbyters Leo, in: Classica et Mediaevalia 21 (1960), S. 204–211 (über L).

Drucke:

FR. PFISTER, Zum Prolog des Archipresbyters Leo und zu den alten Drucken der *Historia de Preliis,* in: Rhein. Museum 90 (1941), S. 273–281.

Gesamtkatalog der Wiegendrucke, hg. von der Kommission für den Gesamtkatalog der Wiegendrucke, Bd. I, Stuttgart, New York ²1968, 439–443.

Editionen:

Ba: FR. PFISTER, Der Alexanderroman des Archipresbyters Leo. Sammlung mittellateinischer Texte VI, Heidelberg 1913 (Teil 1 auch erschienen als Habilitationsschrift, Heidelberg 1912).

L.: D. J. A. ROSS, in: Classica et Mediaevalia 20.

I^1: O. ZINGERLE, Die Quellen zum *Alexander* des Rudolf von Ems. Im Anhange: Die *Historia de preliis.* Germ. Abhandlungen IV, Breslau 1885 (Edition der Hs. der Universitätsbibl. Graz, Nr. 1520, der fehlende Anfang nach der Hs. der Universitätsbibl. Innsbruck, Nr. 1525).

I^2: A. HILKA, Der altfranzösische Prosa-Alexanderroman nach der Berliner Bilderhandschrift nebst dem lat. Original der *Historia de preliis* (Rez. I^2), Halle 1920 (Edition nach zehn Hss.).

I[3]: nicht ediert; wichtige Teile enthält: FR. PFISTER, Die *Historia de preliis* und das Alexanderepos des Quilichinus, in: Münchner Museum für Phil. des Mittelalters und der Renaissance 1 (1912), S. 249–301.

Literatur:

K. KINZEL, Zwei Recensionen der vita Alexandri Magni interprete Leone archipresbytero Neapolitano, Progr. des Gymn. zum Grauen Kloster, Berlin 1884.

DERS., Zur *Historia de preliis* in: ZfdPh. 17 (1885), S. 98–108.

A. AUSFELD, Die Orosius-Recension der *Historia Alexandri Magni de preliis* und Babiloths Alexanderchronik, in: Fs. der badischen Gymnasien, gewidmet der Universität Heidelberg zur Feier ihres 500jährigen Bestehens, Karlsruhe 1886, S. 97–120.

DERS., Ekkehards *Excerptum de vita Alexandri Magni* und die *Historia de preliis,* in: ZfdPh. 18 (1886), S. 385–405.

G. L. HAMILTON, A New Redaction (I[3a]) of the *Historia de preliis* and the Date of redaction I[3], in: Speculum 2 (1927), S. 113–146.

MAGOUN, S. 40ff.; S. 50ff.; S. 55ff.

CARY, S. 38; S. 41ff.; S. 52.

M. MANITIUS, Gesch. der lat. Literatur des Mittelalters, Bd. I, München 1959, S. 529–531.

D. J. A. ROSS, The I[3] *Historia de Preliis* and the *Fuerre de Gadres*, in: Classica et Mediaevalia 22 (1961), S. 207–221.

ROSS, A. h., S. 47ff.

W. R. LECKIE, Albrecht von Scharfenberg and the *Historia de Preliis Alexandri Magni,* in: ZfdA 99 (1970), S. 120–139.

II. Die deutschen Alexanderdichtungen des Mittelalters

1. *Das Alexanderlied* des Pfaffen Lamprecht und seine Fortsetzungen

Die älteste deutsche Alexanderdichtung stammt von einem Geistlichen namens Lamprecht (Pfaffe Lamprecht), der im moselfränkischen Mundartbereich, vielleicht in Trier, zu Hause war. Um 1150 dichtete er das *Alexanderlied*, als Entstehungsort kommen Köln und Regensburg in Frage. Außerdem ist Lamprecht der Dichter einer fragmentarisch erhaltenen Tobiaslegende.

Lamprechts Vorlage ist die älteste volkssprachliche Alexanderdichtung in Europa, ein Alexanderlied des Provençalen Alberich von Bisinzo (wahrscheinlich aus Pisançon in der Dauphiné). Es ist in provençalischer Mundart in der Form der Chanson de Geste (achtsilbige gleichreimende Laissen) geschrieben. Als Quellen benutzte Alberich die *Res gestae Alexandri Macedonis* des Julius Valerius, den er durch die *Historia de preliis* und einzelne Stellen aus Orosius ergänzt. Den Grund für die Entstehung nennt Alberich im Prolog: Er wollte den Müßiggang, der anfällig für die Sünde macht, meiden und mit seiner Dichtung Trost vermitteln in einer Welt, von der Salomo sagt, daß sie eitel sei. Beide Äußerungen sind kaum als Bekenntnisse des Autors, sondern als literarische Topoi zu verstehen. Alberich versucht, die antiken Verhältnisse seiner Vorlage an die mittelalterlichen anzugleichen. Deshalb tilgt er alle mythologischen oder heidnischen Bezüge. Das Bild Alexanders ist menschlicher und frei von wunderbaren Zügen. Von Alberichs Werk ist nur ein kleines Fragment von 105 Versen erhalten, das Paul Heyse in einer Handschrift der Laurentiana in Florenz entdeckte (Cod. 35 Plut. LXIV). Für den weiteren Verlauf sind deshalb die späteren französischen Bearbeitungen (die ebenfalls fragmentarisch erhaltene Zehnsilblerfassung von 1160 und der erste Teil des Alexanderromans von Alexander von Bernay) und die deutsche Übersetzung wichtig.

Lamprecht zeichnet sich nicht durch besondere literarische Fähigkeiten aus. Auf seine geringe Gestaltungskraft bezieht sich wahrscheinlich auch das negative Urteil Rudolfs von Ems:

H. WEISMANN, Alexander, Gedicht des 12. Jahrhunderts, vom Pfaffen Lamprecht, Frankfurt 1850 (Text von S, Lesarten von V, neuhochdeutsche Übersetzung).

R. M. WERNER, Die Basler Bearbeitung von Lambrechts Alexander, BlVSt. 154, Tübingen 1881 (B).

K. KINZEL, Lamprechts Alexander nach den drei Texten mit dem Fragment des Alberic von Besançon und den lat. Quellen, Halle 1884 (synopt. Edition von V, B und S).

H. E. MÜLLER, Die Werke des Pfaffen Lamprecht nach der ältesten Überlieferung, Münchner Texte 12, München 1923 (V).

FR. MAURER, Das Alexanderlied des Pfaffen Lamprecht, DLE, Geistl. Dichtung des Mittelalters 5, Leipzig 1940 S. 21–46 (V).

Die deutschen Gedichte der Vorauer Handschrift, Graz 1958 (Faksimile-Ausgabe).

FR. MAURER, Die religiösen Dichtungen des 11. und 12. Jahrhunderts, Bd. II, Tübingen 1965, S. 515–566 (V).

Übersetzungen:

H. WEISMANN, Frankfurt 1850.

R. E. OTTMANN, Das Alexanderlied des Pfaffen Lamprecht, Halle 1898 (V und S).

Alexanderlied:

K. KINZEL, Lamprechts Alexander. I. Die Straßburger Bearbeitung in ihrem Verhältnis zur Vorauer. II. Die Baseler Hs., in: ZfdPh. 10 (1879), S. 14–89.

DERS., Zu Lamprechts Alexander. I. Das Handschriftenverhältnis des Alexander. II. Zum Straßburger Texte von Lamprechts Alexander, in: ZfdPh. 11 (1880), S. 385–399.

J. VORSTIUS, Die Reimbrechung im frühmittelhochdeutschen Alexanderliede, Diss. Marburg 1917.

EHRISMANN, II, 1, S. 235–255 (mit älterer Literatur).

J. VAN DAM, Zur Vorgeschichte des höf. Epos. Lamprecht, Eilhart, Veldeke. Rhein. Beiträge zur germ. Phil. VIII, Bonn, Leipzig 1923.

H. DE BOOR, Vom Vorauer zum Straßburger Alexander. Ein Beitrag zur klass. Formentwicklung, in: Frühmittelhochdeutsche Studien, Halle 1926, S. 5–149.

E. SCHRÖDER, Die deutschen Alexanderdichtungen des 12. Jahrhunderts, in: Nachrichten v. d. Ges. d. W. zu Göttingen, phil.-hist. Kl. 1928, 1, S. 45–92.

L. DENECKE, Ritterdichter und Heidengötter (1150–1220), Leipzig 1930, S. 10–31.

J. KUHNT, Lamprechts Alexander. Lautlehre und Untersuchung der Verfasserfrage nach den Reimen, Halle 1931.

G. SCHMID, Christl. Gehalt und germ. Ethos in der vorhöf. Geistlichendichtung, Erlanger Arbeiten zur dt. Lit. 9, 1937.

E. SITTE, Die Datierung von Lamprechts Alexander, Hermaea 35, Halle 1940.

W. KROGMANN, Pfaffe Lamprecht, in: Verf. Lex. III, 4–17 (Nachtrag: C. MINIS, V, 581–583).

D. TEUSINK, Das Verhältnis zwischen Veldekes Eneide und dem Alexanderlied, Diss. Amsterdam 1946.
DE BOOR, I, S. 232–240.
C. MINIS, Französisch-deutsche Literaturberührungen im Mittelalter, in: Romanist. Jb. 4 (1951), S. 55–123.
D. HAACK, Geschichtsauffassungen in deutschen Epen des 12. Jahrhunderts, Diss. Masch. Heidelberg 1953.
C. MINIS, Pfaffen Lambrehts Tobias und Alexander, in: Neophilologus 38 (1954), S. 252–254.
CARY, S. 27ff.
C. MINIS, in: ZfdA 88.
FR. PFISTER, Dareios von Alexander getötet, in: Rhein. Museum, NF 101 (1958), S. 97–104.
W. SCHRÖDER, Zum Vanitas-Gedanken im deutschen Alexanderlied, in: ZfdA 91 (1961/62), S. 38–55.
ROSS, A. h., S. 10.
W. FISCHER, Die Alexanderliedkonzeption des Pfaffen Lamprecht. Medium Aevum, Phil. Studien 2, München 1964.
J. QUINT, in: Fs. für P. BÖCKMANN.
H. SZKLENAR, Studien zum Bild des Orients in vorhöf. deutschen Epen, Palaestra 243, Göttingen 1966, S. 47–112.
BRUMMACK, S. 9–24; S. 35–51; S. 71–77; S. 88–91.
K. RUH, Höfische Epik des deutschen Mittelalters, Bd. I, Berlin 1967, S. 35–42.
R. A. WISBEY, A Complete Concordance to the Vorau and Strassburg Alexander, Leeds 1968.
F. URBANEK, Umfang und Intention von Lamprechts Alexanderlied, in: ZfdA 99 (1970), S. 96–120.
U. PÖRKSEN, Der Erzähler im mittelhochdeutschen Epos, Phil. Studien und Quellen 58, Berlin 1971.

Vorauer Alexander:

C. MINIS, Handschrift und Dialekt des Vorauer Alexanders, in: Archiv 190 (1954), S. 289–305.
K. K. POLHEIM, Die Struktur der Vorauer Handschrift, Vorwort zur Faksimile-Ausgabe, Graz 1958.
P. FANK, Die Vorauer Handschrift. Ihre Entstehung und ihre Schreiber, Graz 1967.

Basler Alexander:

R. M. WERNER, Die Basler Bearbeitung von Lambrechts Alexander, SB der kaiserl. Ak. d. W., phil.-hist. Cl. 93, Wien 1879, S. 7–122.
J. ZACHER, Zur Basler Alexanderhandschrift, in: ZfdPh. 10 (1879), S. 89–112.
H. DE BOOR, Die Stellung des Basler *Alexander*, in: ZfdPh. 54 (1929), S. 129–167.
E. CZERWONKA, Der Basler Alexander. Eine textkrit. Untersuchung und Rekonstruktionsversuch seiner Vorstufe im 12. Jh., Diss. Masch. Berlin 1958.

Straßburger Alexander:

TH. HAMPE, Die Quellen der Straßburger Fortsetzung von Lamprechts Alexanderlied und deren Benutzung, Diss. Bonn 1890.

J. VAN DAM, Der künstler. Wert des Straßburger Alexanders, in: Neophilologus 12 (1927), S. 104–117.

A. T. HATTO, The Elephants in the Straßburg Alexander, in: London Medieval Studies 1 (1937/39), S. 399–429.

2. *Die späthöfische Alexanderdichtung*

Sieht man von der frühhöfischen Bearbeitung im *Straßburger Alexander* ab, so ist aus der Blütezeit der höfischen Epik keine Alexanderdichtung erhalten. Die großen Epiker widmen sich fast ausschließlich dem Kreis der Artussagen. Erst bei den »Epigonen« finden wir wieder zwei Werke über Alexander.

a) *Rudolf von Ems*

Der ältere und bedeutendere der beiden Dichter ist Rudolf von Ems. Von seinen biographischen Daten gibt er in seinen Werken nur wenig preis. Wir erfahren, daß er Ministeriale der Grafen von Montfort war, und kennen einige seiner Freunde und Gönner mit Namen (Rudolf von Steinach, Abt Wido von Kappel u. a.). In der Fortsetzung seines letzten Werkes, der *Weltchronik*, wird er *von Ense* genannt (wahrscheinlich Hohenems in Vorarlberg) und sein Tod in *welschen rîchen* mitgeteilt (Italienfeldzug unter Konrad IV. nach 1250). Die Wahl seiner Quellen und die vielseitige Thematik seines Werkes lassen eine gute Schulbildung auf einer Kloster- oder Domschule (Chur, Konstanz?) erkennen. Seine Schaffenszeit liegt zwischen 1220 und 1250. Fünf seiner Werke (*Der gute Gerhard*, *Barlaam und Josaphat*, *Wilhelm von Orlens*, *Alexander*, *Weltchronik*) sind erhalten, die beiden letzten jedoch unvollendet. Eine *Eustachiuslegende* ist verloren. Rudolf stand in bewußter Nachfolge der höfischen Epiker (besonders Wolframs und Gottfrieds) und gehörte zu einem schwäbisch-staufischen Literaturkreis, zu dem auch Schenk Konrad von Winterstetten und Ulrich von Türheim zählen. Als Auftraggeber seiner Werke nennt Rudolf mehrfach Geistliche, bei der Weltchronik ist es König Konrad IV. (geb. 1228, König 1237–1254). Beim *Alexander* fehlt der Name eines Auftraggebers. Rudolfs Verbindung zu den Staufern, die mutmaßliche Entstehungszeit und die »königliche« Thematik des Werkes haben zu der Annahme geführt, daß es für König Heinrich, den ältesten Sohn Friedrich II., bestimmt war.

Aus den Akrostichen der erhaltenen Teile (*R. Alexa...*) ist ersichtlich, daß Rudolf zehn Bücher (ca 40 000 Verse) plante. Fünf Bücher sind vollständig, das sechste bricht nach insgesamt etwa 21 500 Versen mitten in der Erzählung (Verfolgung des Dariusmörders Bessus) ab. Die Überlieferung des Werkes ist schmal, nur zwei Handschriften aus dem 15. Jh. und ein älteres Bruchstück sind erhalten.

Der *Alexander* zerfällt nach Quelle und Stil in zwei unterschiedliche Teile. Anfangs folgt Rudolf der *Historia de preliis* (Rez. I[2]), von Vers 5105 an benutzt er hauptsächlich die *Historia Alexandri Magni Macedonis* des Curtius Rufus. Ebenso ist nur der Anfang besonders kunstvoll mit Akrostichen und Vierreimen durchgestaltet. Man hat deshalb zwischen zwei Stufen (Alexander I und II) unterschieden. Ob zwischen diesen Stufen auch ein zeitlicher Abstand liegt, in dem der *Wilhelm von Orlens* entstanden ist, läßt sich nicht beweisen. Eine mögliche Erklärung für die Unterbrechung der Arbeit am *Alexander* wäre die Verurteilung und Verbannung König Heinrichs (1235), eine Wiederaufnahme könnte durch Konrad angeregt worden sein. Doch fehlt dafür der Beweis. Ebenso kennen wir keinen Grund für die Unvollständigkeit (Abbruch nach Beginn der *Weltchronik*, Tod Rudolfs?).

Neben den beiden Hauptquellen hat Rudolf zahlreiche andere Texte gekannt und geschickt verwendet. Daraus wird nicht nur seine Belesenheit sichtbar, sondern auch sein Versuch, die *rehte wârheit* zu schreiben. Er sucht nicht das *buoch*, dem er sich blind anvertraut, sondern die *maere*. Deshalb strebt er nach Vollständigkeit und vergleicht verschiedene Quellen. Namentlich nennt Rudolf drei deutsche Alexanderdichtungen vor ihm (Lamprecht, Biterolf, Berthold von Herbolzheim), daneben benutzt er die Bibel, Pseudo-Methodius, Josephus, die ZACHER-*Epitome*, Petrus Comestor und die *Alexandreis* des Walter von Châtillon, vielleicht auch die *Weltchronik* Ottos von Freising. In der Benutzung seiner Quellen ist Rudolf souverän, er übersetzt frei, wählt aus, kürzt oder erweitert. Wichtig ist ihm nicht der Wortlaut der Vorlage, sondern seine dichterische Absicht: die Idealisierung Alexanders als vorbildlicher Herrscher, der alle Vorzüge und ritterlichen Tugenden besitzt. Zu diesem Zweck reduziert er die vielschichtige Erzählweise des Curtius auf eindeutige und typische Situationen, an die Stelle der historischen Realität tritt die zeitlose Vorbildlichkeit: »Rudolf von Ems hat die Geschichte von König Alexander von Makedonien in einen höfischen Königsroman verwandelt« (VON ERTZDORFF). Im letzten Viertel des vollendeten Teils wird eine zweite Tendenz deutlich. Durch mehrere Exkurse (Prophezeiung Daniels, v. 15377 ff., Liste der Weltherrscher vor Alexander, v. 15639ff., die Geschichte der Ismaeliten, v. 16965ff.) macht Rudolf Alexanders Stellung in der Welt- und damit in der Heilsgeschichte sichtbar. Ob das eine Änderung seiner ursprünglichen Konzeption bedeutet, ist nicht sicher, denkbar wären auch eine gleichzeitige Arbeit an der *Weltchronik* oder zeitgeschichtliche Einflüsse (Mongoleneinfall, Weltuntergangsstimmung).

Das erste und teilweise auch das zweite Buch des *Alexander* stellt einen formalen Höhepunkt in Rudolfs Schaffen dar. Die Bücher sind in Kapitel und Abschnitte gegliedert, die durch Akrostichen (z. B. *Nektanabus, Olimpias, Amon, Philipp*) gekennzeichnet sind. Im ersten Buch sind die Kapitel symmetrisch angeordnet, auch der Aufbau der Einzelabschnitte ist planmäßig und kunstvoll. In den Prologen zu Beginn des 3., 4. und 5. Buches reflektiert Rudolf nach dem Vorbild Gottfrieds über sein Dichten, der Prolog zum 2. Buch enthält einen Katalog lebender und verstorbener Dichter. Eine Fülle von Stilmitteln in Klang, Reim und Wortwahl steht Rudolf zur Verfügung, die er gekonnt, gelegentlich auch etwas manieriert, anwendet.

Rudolf von Ems:

G. EHRISMANN, Studien über Rudolf von Ems, SB der Heidelberger Ak. d. W. 1918/19.

E. SCHRÖDER, Rudolf von Ems und sein Literaturkreis, in: ZfdA 67 (1930), S. 209–251.

G. K. BAUER, Die zeitliche Einreihung des *Alexander* und des *Willehalm* in das Schaffen Rudolfs von Ems, in: ZfdPh. 57 (1932), S. 141–157.

E. SCHWARZINGER, Reim- und Wortspiele bei Rudolf von Ems, Diss. Masch. Wien 1933.

EHRISMANN, II, 2, S. 23–35.

G. EHRISMANN, Rudolf von Ems, in: Verf. Lex. III, 1121–1126 (Nachtrag: L. WOLFF, in: Verf. Lex. V, 1012–1016).

DE BOOR, II, S. 176–187.

E. KOPP, Untersuchungen zu Werken Rudolfs von Ems, Diss. Masch. Berlin 1957 (über *Alexander* S. 183–279).

X. VON ERTZDORFF, Rudolf von Ems. Untersuchungen zum höf. Roman im 13. Jh., München 1967.

H. BRACKERT, Rudolf von Ems. Dichtung und Geschichte, Heidelberg 1968.

R. SCHNELL, Rudolf von Ems. Studien zur inneren Einheit seines Gesamtwerks. Basler Studien zur dt. Spr. und Lit. 41, Bern 1969.

Alexander:

Edition:

V. JUNK, Rudolf von Ems, *Alexander*. Ein höfischer Versroman des 13. Jahrhunderts, BlVSt. 272 und 274, Leipzig 1928/29.

Literatur:

A. AUSFELD, Über die Quellen zu Rudolf von Ems *Alexander*, Progr. Donaueschingen 1883.
O. ZINGERLE, Die Quellen zum *Alexander* des Rudolf von Ems, Breslau 1885.
V. JUNK, Die Überlieferung von Rudolfs von Ems *Alexander*, in: PBB 29 (1904), S. 369–469.
DERS., Bericht über die Vorarbeiten zu einer krit. Ausgabe von Rudolfs von Ems *Alexander*, in: Anz. der Ak. d. W., phil.-hist. Kl., Wien 1924, S. 9–21.
A. LEITZMANN, Zum *Alexander* des Rudolf von Ems, in: PBB 54 (1930), S. 294–305.
O. SCHULMANN, Zum *Alexander* des Rudolf von Ems, Diss. Wien 1931.
K. NITZLADER, Reimwörterbuch zum *Alexander* Rudolfs von Ems, Diss. Masch. Wien 1932.
A. ELSPERGER, Das Weltbild Rudolfs von Ems in seiner Alexanderdichtung, Diss. Erlangen 1939 (Erlanger Arbeiten zur dt. Lit. 11).
M. HÜHNE, Die Alexanderepen Rudolfs von Ems und Ulrichs von Eschenbach, Diss. Jena, Würzburg 1939.
C. VON KRAUS, Text und Entstehung von Rudolfs *Alexander*, MSB 1940, H. 8.
CARY, S. 66 f.; S. 186 f.; S. 205 ff.
R. A. WISBEY, Das Alexanderbild Rudolfs von Ems, Phil. Studien und Quellen 31, Berlin 1966 (Diss. Frankfurt 1956; zwei Kapitel sind vorher auch als Aufsätze erschienen, in: ZfdA 85, 1954/55, S. 304–311 und ZfdA 87, 1956/57, S. 65–80).
E. TRACHE, Der Aufbau des *Alexander* Rudolfs von Ems, Diss. Freiburg 1959.
ROSS, A. h., S. 71 f.
W. FECHTER, Lateinische Dichtkunst und deutsches Mittelalter, Phil. Studien und Quellen 25, Berlin 1964.
K. STACKMANN, Der Alten Werdekeit. Rudolfs *Alexander* und der Roman des Q. Curtius Rufus, in: Fs. für J. QUINT, hg. von H. MOSER, R. SCHÜTZEICHEL und K. STACKMANN, Bonn 1964, S. 215–230.
H. KOLB, Orthabunge rehter kunst. Zu den *saelde*-Prologen in Rudolfs von Ems *Alexander*, in: Fs. für H. DE BOOR, Tübingen 1966, S. 92–110.
BRUMMACK, S. 26–28; S. 51–56; S. 77–80; S. 91–96.
ROSS, Ill. Med. Al.-Books, S. 17–48.

b) Ulrich von Etzenbach

Eine Generation nach Rudolf wird der Alexanderstoff erneut aufgegriffen. Der Adressat dieser Dichtung zeigt die veränderte politische Lage in Deutschland. Während Rudolf noch in Verbindung zum Kaiserhaus stand, dichtete Ulrich von Etzenbach für einen erstarkten Landesfürsten, den böhmischen König Ottokar II.

Über Ulrich von Etzenbach (früher meist Eschenbach) ist wenig bekannt. Wahrscheinlich ist er bürgerlicher Herkunft und hat eine

Lateinschule besucht. Seine Sprache weist auf Mitteldeutschland (Nordböhmen?) als Heimat. Der *Alexander*, sein Erstlingswerk, entstand zwischen 1271 und 1286, Ulrich dürfte also kurz vor der Mitte des 13. Jhs. geboren sein. Später verfaßte er zwei kürzere Epen (*Herzog Ernst, Wilhelm von Wenden*).

Ulrich benutzt als Quellen fast ausschließlich die lateinische *Alexandreis* des Walter von Châtillon (Gualterus de Castellione). Walter wurde 1135 in Lille geboren und war als Lehrer und königlicher Kanzlist tätig. Zwischen 1178 und 1182 dichtete er für seinen Gönner Wilhelm von Reims seine *Alexandreis*, für die er hauptsächlich Curtius heranzog. Das Epos umfaßt 5500 Hexameter und ist in zehn Bücher gegliedert. Stilistisch ist Walter durch die römischen Klassiker geprägt (besonders Vergil). Sein Ziel war, ein ebenso anschauliches wie verherrlichendes Bild des Makedonenkönigs zu geben. Für die große Beliebtheit der *Alexandreis*, die im Mittelater der *Aeneis* gleichgestellt und ebenfalls als Schullektüre benutzt wurde, sprechen die breite Überlieferung (mehr als 130 Handschriften und Drucke des 16. und 17. Jhs.) und mehrere Bearbeitungen und Nachahmungen.

Dieses lateinische Epos benutzte Ulrich, wie er selbst erzählt, in einer Handschrift, die ihm der Salzburger Erzbischof Friedrich II. von Walken durch zwei Ritter übersandte. Aus den zahlreichen Erklärungen zu mythologischen Anspielungen und antiken Sagen ist ersichtlich, daß diese Handschrift einen glossierten Text der *Alexandreis* enthielt (vergleichbar der Handschrift der Österreichischen Staatsbibliothek Wien, Cod. 568). Außerdem verwendete Ulrich die *Historia de preliis*, den *Iter ad paradisum* und die Bibel als Nebenquellen. Mehrere Male beruft er sich auch auf mündliche Überlieferung (z. B. bei Alexanders Tauch- und Himmelsfahrt). Die anderen von ihm zitierten lateinischen Namen (Valerius, Lucanus, Oratius, Albertus Magnus u. a.) sind wahrscheinlich aus den Glossen übernommen.

Ulrich behält die Reihenfolge Walters und dessen Einteilung in zehn Bücher bei. Doch erweitert und ergänzt er den lateinischen Text wesentlich. Während in der *Alexandreis* die Bücher jeweils zwischen 500 und 600 Versen umfassen, schwanken sie bei Ulrich zwischen 1000 und 7000 Versen. Mit insgesamt 28 000 Versen ist Ulrichs Werk die längste deutsche Alexanderdichtung.

Aber nicht nur im Umfang unterscheidet sich Ulrichs *Alexander* von seiner Vorlage. Der Dichter verfolgt auch eine andere Absicht. Alexander ist bei ihm nicht der antike Heros, sondern ein mittelalterlicher Fürst und Minneritter. Zu diesem Zweck paßt er das antikisierende Epos seiner Zeit an. Die Namen der Götter werden umschrieben (z. B. *unkiusche* für *Venus, trunkenheit* für *Baccho*), heidnische Begriffe durch christliche ersetzt (*helle* statt *Styx*). Alexander selbst wird, noch deutlicher als bei Rudolf von Ems, der christliche Ritter und Herrscher, der alle Tugenden besitzt (*zuht, milte, erbärmde*) und den alttestamentlichen Helden gleichgestellt werden kann. Höfische Prachtentfaltung, militärische Ereignisse (besonders Zweikämpfe) und gefühlvolle Minneszenen nehmen breiten Raum ein. Dazu ergänzt Ulrich die wenigen Frauengestalten bei Walter durch Figuren aus der *Historia de preliis*.

Ulrich ist belesen, er kennt die Dichter der höfischen Blütezeit, vor allem Wolfram, und schreibt einen gewandten und flüssigen Stil. Trotzdem ist seine dichterische Leistung nur mittelmäßig. Seine Stärke liegt bei den Einzelszenen, die er meist nach einer kurzen Einleitung in einer dramatischen Wechselrede gipfeln läßt. Die Stofffülle hat er jedoch nicht bewältigt. Sein Streben nach Vollständigkeit führt zu einer ermüdenden Breite, die durch Wiederholungen (Belagerungen, zweimaliger Zug zum Paradies) und Widersprüche gekennzeichnet ist. Der endlose Epilog erweckt sogar den Eindruck, als habe Ulrich eine runde Verszahl (28 000) erreichen wollen.

Trotz dieser Schwächen wurde das Werk im Mittelalter sehr geschätzt. Ulrichs Gönner und vielleicht auch sein Auftraggeber war der böhmische König Ottokar II., dessen Wappen der Dichter als Alexanders Wappen beschreibt. Da Ottokar während der Abfassungszeit (1278) starb, widmete Ulrich den *Alexander* Ottokars Sohn Wenzel II.

Auch die Überlieferung ist verhältnismäßig breit. Die erhaltenen Handschriften und Fragmente gliedern sich in drei Gruppen. Dem Original verwandt ist nur eine Handschrift (a) und ein Fragment. Ein schwäbischer Bearbeiter des 14. Jhs. hielt den *Alexander* für ein Werk Wolframs und tilgte alle Stellen, in denen Wolfram oder Ulrich von dem Türlin genannt werden (Fassung *B, eine Handschrift und zwei Fragmente). Am beliebtesten war offensichtlich eine davon unabhängige, interpolierte Fassung (*C, zwei Handschriften, vier Fragmente) des 14. Jhs. Doch zeigen einige neuere Funde, daß weitere Handschriften existiert haben müssen. Größere Auszüge aus Ulrichs *Alexander* benutzten auch die Fortsetzer der *Weltchronik* des Rudolf von Ems (*Heinrich von München, Christherrechronik*).

Zwei Probleme, die um Ulrich von Etzenbachs Werk kreisen, sind noch nicht endgültig gelöst. An die zehn Bücher schließt sich in einigen Handschriften ein 11. Buch an, das inhaltlich und stilistisch wenig mit dem Roman gemeinsam hat. Es ist eine Allegorie, in der Alexanders Zug gegen die Stadt Tritonia (die dreifache Weisheit von

Alchymie, Astrologie und Negromanzie) erzählt wird. Erst mit Hilfe des Aristoteles gelingt Alexander die Eroberung. Dieser Anhang ist Borso II. von Riesenburg (urkundlich 1295–1303) gewidmet und wahrscheinlich auf dessen Burg entstanden. Er ist dem anonymen Gedicht *Landgraf Ludwigs Kreuzfahrt* verwandt und fällt stilistisch sehr gegenüber dem übrigen Werk ab. Wahrscheinlich ist der Anhang kein Alterswerk Ulrichs, wie ROSENFELD meinte, sondern stammt von einem Nachahmer des Dichters.

Ungelöst ist auch das Verhältnis zwischen Ulrichs *Alexander* und der fragmentarisch erhaltenen alttschechischen *Alexandreis* (*Alexander boemicalis*). Entgegen früheren Annahmen ist die tschechische Alexanderdichtung erst nach Ulrichs Roman und unabhängig von diesem entstanden (1287), doch diente dem Dichter möglicherweise dieselbe glossierte Handschrift von Walters *Alexandreis*, die auch Ulrich benutzt hatte, als Vorlage.

Walter von Châtillon:

FR. A. W. MÜLDENER, De vita Magistri Philippi Gualtheri ab Insulis dicti de Castellione, Diss. Göttingen 1854.

DERS., M. Philippi Gualtheri ab Insulis dicti de Castellione *Alexandreis*, Leipzig 1863.

Gualtherus de Castellione, *Alexandreis*, hg. von A. GUGGER, in: J.-P. MIGNE, PL 209, Paris 1885, 459–574.

H. CHRISTENSEN, Das Alexanderlied Walters von Châtillon, Halle 1905.

M. BACHERLER, Gualterus' *Alexandreis* in ihrem Verhältnis zum Curtius-Text, in: Berliner Phil. Wochenschrift 1917, 663–672; 698–704; 730–736; 761–766.

C. GIORDANO, *Alexandreis*, Poema di Gautier de Châtillon, Neapel 1917.

M. MANITIUS, Gesch. der lat. Lit. des Mittelalters, Bd. III, München 1931, S. 920–936.

R. DE CESARE, Glosse latine ed anticofrancesci all' *Alexandreis* di Gautier de Châtillon, Mailand 1951.

CARY, S. 63 f.

R. A. WISBEY, Das Alexanderbild Rudolfs von Ems, S. 100–108.

ROSS, A. h., S. 72.

Ulrich von Etzenbach:

EHRISMANN, II, 2, S. 82–84.

W. DZIOBEK, Problemgeschichtliches zur mittelhochdeutschen Epik Ulrichs von Eschenbach, Diss. Breslau 1940.

FR. REPP, Reimwörterbuch zu Ulrich von Eschenbach, Prager deutsche Sudien 48, Reichenberg 1940.

H.-FR. ROSENFELD, Ulrich von Eschenbach, in: Verf. Lex. IV, 572–582.

DE BOOR, III, 1, S. 105 f., S. 114–117.

Edition und Überlieferung des Alexander:

W. Toischer, *Alexander* von Ulrich von Eschenbach, BlVSt. 183, Tübingen 1888.

A. E. Schönbach, Ein Bruchstück aus dem *Alexander* des Ulrich von Eschenbach, in: ZfdA 35 (1891), S. 415–417.

J. Hefner, Die Ochsenfurter Fragmente der *Alexandreis* des Ulrich von Eschenbach, in: ZfdPh. 37 (1905), S. 348–351 und ZfdPh. 38 (1906), S. 298–300.

D. Richter, Ein neues Bruchstück des *Alexander* von Ulrich von Eschenbach, in: ZfdA 94 (1965), S. 58–80.

D. J. A. Ross, Two New Manuscripts of the *Alexander* of Ulrich von Etzenbach, in: ZfdA 96 (1967), S. 239–246.

Literatur:

W. Toischer, Über die *Alexandreis* Ulrichs von Eschenbach, in: SB der kaiserl. Ak. d. W., phil.-hist. Kl. 97, Wien 1880, S. 311–408.

Fr. Wilhelm, Ulrich von Eschenbach und der Winsbecke, in: PBB 34 (1909), S. 193 f.

H. Paul, Ulrich von Eschenbach und seine *Alexandreis*, Diss. Berlin 1914.

M. Hühne, Die Alexanderepen Rudolfs von Ems und Ulrichs von Eschenbach, Diss. Jena, Würzburg 1939.

Cary, S. 65 f.

W. Stammler, Wort und Bild, Berlin 1962, S. 146–149.

Brummack, S. 28–33; S. 56–59; S. 80 f.; S. 96–113.

Ross, Ill. Med. Al.-Books, S. 49–79.

Anhang:

H.-Fr. Rosenfeld, Herzog Ernst D und Ulrich von Eschenbach, Palaestra 164, Leipzig 1929, S. 258–280.

Fr. Repp, Der Anhang zum *Alexander* Ulrichs von Eschenbach, in: ZfdA 68 (1931), S. 33–66.

H.-Fr. Rosenfeld, Zum *Alexander*-Anhang Ulrichs von Eschenbach, in: ZfdA 68 (1931), S. 275–283.

Ders., Der Kreuzfahrtdichter und Ulrichs von Eschenbach Anhang zum *Alexander*, in: ZfdPh. 56 (1931), S. 395–410.

Alttschechischer Alexander:

K. W. Titz, Ulrich von Eschenbach und der *Alexander boemicalis*, in: Jahresbericht der Lese- und Redehalle der deutschen Studenten in Prag, 1881, S. 13–33.

U. Johanssen, Die alttschech. *Alexandreis* in ihrem Verhältnis zu Gualtherus, Diss. München 1932.

H.-H. Bielfeldt, Neue Studien zur alttschechischen *Alexandreis*, in: Studien zur Textgeschichte und Textkritik 4 (1959), S. 184–198.

I. Hahn, in: Kindlers Literaturlexikon I, München 1965, 413–414 (mit Verzeichnis der Editionen und Bibliographie).

Bei einer Aufzählung der Stoffe, die beim Publikum beliebt sind, nennt Hugo von Trimberg (um 1300) auch *künec Alexanders wunder.* Das Interesse bleibt auch während des 14. Jahrhunderts lebendig, der Alexanderstoff wird erneut von zwei Dichtern bearbeitet.

a) Seifrit

Im Jahre 1352 vollendet ein Dichter aus dem bairischen oder österreichischen Sprachraum, der sich selbst *armer Seyfrit* nennt, ein Alexanderepos von 9081 Versen. Die von ihm zitierten lateinischen Autoren (Vergilius, Eusebius, Boethius u. a.) hat er kaum selbst benutzt. Vielmehr hält er sich eng an die *Historia de preliis* (Rez. I[2]), die er offensichtlich für ein Werk Vergils ansah. Seine Vorlage muß eine interpolierte Fassung dieses Werkes gewesen sein.

Als Dichter will Seifrit ein getreuer Ausleger sein. Deshalb weicht er kaum vom Wortlaut seiner Quelle ab. Wo er ihn erweitert, benutzt er formelhafte Wendungen der höfischen Dichtung. Alexanders Person wird von ihm positiv gesehen, er ist der von Gott geschickte Richter und Züchtiger der Menschheit. Negative Eigenschaften Alexanders, z. B. seine *superbia,* treten in den Hintergrund. Die große Zahl von Handschriften (elf) zeigt, daß Seifrit damit den Publikumsgeschmack getroffen hat.

Seifrit:

Seifrits *Alexander* aus der Straßburger Handschrift hg. von P. Gereke, DTM 36, Berlin 1932.

I. Kühnhold, Seifrits *Alexander,* Diss. Berlin 1939.

C. von Kraus, Zum *Saelden Hort* und zu Seifrits *Alexander,* MSB 1940, H. 1.

G. Jungbluth, Seifrit, in: Verf. Lex. IV, 152.

Cary, S. 49.

Ross, A. h., S. 57f.

b) Der Große Alexander (Wernigerode Alexander)

Weit weniger Beachtung fand eine zweite Alexanderdichtung, die gegen Ende des 14. Jahrhunderts entstanden ist. Von dem *puch der groz Alexander* (6450 Verse) besitzen wir nur eine Handschrift (Gräflich Stolbergsche Bibliothek in Wernigerode, Cod. Z b 2 4°). Das Werk stammt von einem alemannischen Dichter, die Handschrift hat jedoch ein bairischer Schreiber angefertigt und im Jahre 1397 vollendet. Obwohl der anonyme Autor sich ganz allgemein auf eine lateinische Vorlage beruft, kennen wir seine Quelle: es ist die *Historia Alexandri* des Quilichinus von Spoleto.

Quilichinus ist als Bürger von Spoleto zwischen 1224 und 1234 urkundlich bezeugt. Ein Dokument nennt ihn Cursor am bischöflichen Gericht, in einer Handschrift seines Werkes wird er als *judex* bezeichnet. Neben der *Historia Alexandri* verfaßte er ein Werk über Friedrich II. (*Preconia Friderici II.*). Sein Alexanderepos, in lateinischen Distischen geschrieben, ist in drei Bücher gegliedert. Buch I endet mit dem Tod Philipps und der Krönung Alexanders zum König von Makedonien, Buch II schließt mit dem Tod des Darius und Alexanders Krönung als persischer Monarch. Als Quelle diente Quilichinus die *Historia de preliis* (Rez. I[3]). Im Jahre 1236 beendete er seine *Historia Alexandri*, doch benutzte er zwei weitere Jahre, um sie stilistisch zu verbessern.

Von den sechs erhaltenen Handschriften stehen zwei der deutschen Übersetzung nahe. Die Übertragung ist ziemlich getreu, doch gibt der Autor des *Großen Alexander* die Bucheinteilung auf. Stattdessen gliedert er den Text in sechs unterschiedlich lange Abschnitte. Gelegentlich kürzt er, besonders bei Aufzählungen, oder mildert er Derbheiten (z. B. Alexanders Tod). Alexander ist auch hier der vorbildliche Held, doch gibt sein Schicksal gleichzeitig ein Exempel für die Vergänglichkeit der irdischen Größe und dient damit als Warnung vor Übermut. Stilistisch ist der *Große Alexander* wenig gewandt und schwächer als seine Vorlage. Es ist die letzte gereimte Alexanderdichtung, die Zukunft gehört den Prosabearbeitungen und den dramatischen Gestaltungen des Stoffes.

Quilichinus von Spoleto:

Fr. Pfister, in: Münchner Museum 1 (1912), S. 249–301.

P. Lehmann, Quilichinus von Spoleto, in: Berliner Phil. Wochenschrift 38 (1918), 812–815.

Cary, S. 53.

Ross, A. h., S. 61.

Der Große Alexander:

E. Neuling, Die deutsche Bearbeitung der *Alexandreis* des Quilichinus de Spoleto, in: PBB 10 (1885), S. 315–383.

Der Große Alexander, aus der Wernigerode Handschrift hg. von G. Guth, DTM XIII, Berlin 1908.

G. Ehrismann, *Der Große Alexander*, in: Verf. Lex. I, 58f.

Cary, S. 54.

a) Die Alexandererzählung im Großen Seelentrost

Der *Große Seelentrost* ist eine katechetische Glaubenslehre, in der die zehn Gebote im Gespräch zwischen einem geistlichen Vater und seinem Schüler durch Exempel und Anekdoten erläutert werden. Bei den Beispielen zum 10. Gebot wird auch eine gekürzte Fassung der Alexandersage angeführt. Der Geistliche warnt vor *gyricheit* und *houerdicheyt* und fährt dann fort: *konningk Allexander moste doch steruen, wu riijke he ok was.* Die Erzählung beschränkt sich im Grunde auf drei Episoden aus Alexanders Leben: die Geschichte seiner Jugend, der Kampf mit Darius und der Besuch bei der Königin Kandake.

Der Verfasser des *Großen Seelentrostes,* wahrscheinlich ein Dominikaner aus dem niederdeutschen Sprachraum, lebte in der Mitte des 14. Jahrhunderts. Seine Darstellung Alexanders steht der *Liegnitz-Epitome* und außerdem dem Original von Leos *Nativitas et historia Alexandri Magni regis* nahe. Doch wahrscheinlich hat er nicht diese Quellen, sondern bereits einen fertigen Komposittext benutzt, in den auch Teile der jüdischen Sagen eingefügt waren. Da er auch andere Exempel aus Petrus Comestors *Historia scholastica* übernimmt, ist am ehesten an eine interpolierte Bearbeitung dieses Werkes zu denken. Die gleiche oder eine sehr nahe verwandte Quelle liegt auch der Alexandererzählung in der mittelniederländischen Historienbibel zugrunde, die ins Mittelniederdeutsche übersetzt wurde.

Der *Große Seelentrost* war ein weit verbreitetes Buch. 27 Handschriften sind erhalten, doch wissen wir von weiteren zehn, die verloren sind. Das Werk wurde 1474 erstmals gedruckt und erlebte mehr als 25 Auflagen. Doch läßt sich die Wirkung auch an den Übersetzungen ablesen. der *Große Seelentrost* wurde ins Schwedische (*Själen Tröst*), Dänische (*Siaela Trøst*) und ins Mittelniederländische (*Sielen Troest*) übersetzt.

Der *Große Seelentrost:*

Editionen:

Romantische und andere Gedichte in altplattdeutscher Sprache, hg. von P. J. Bruns, Berlin, Stettin 1798 (enthält eine *fabelhafte Geschichte Alexanders des Großen,* S. 331–366).

A. J. Barnouw, A Middle Low German Alexander Legend, Germanic Review Texts I, New York 1929 (Edition der Alexandersage nach den Texten von Bruns, den mittelniederländischen und zwei mittelniederdeutschen Historienbibeln).

M. Schmitt, Der *Große Seelentrost.* Ein niederdeutsches Erbauungsbuch des 14. Jahrhunderts, Köln, Graz 1959 (Edition; Alexander S. 258–287).

Literatur:

F. Fuchs, Beiträge zu Alexandersage. Die Alexandersage im *Seelentrost*, Progr. Gießen 1907.

G. Reidemeister, Die Überlieferung des *Seelentrostes*, Diss. Halle 1915.

A. Hübner, *Seelentrost*, in: Verf. Lex. IV, S. 147–150.

Cary, S. 39–41.

M. Andersson-Schmitt, Über die Verwandtschaft der Alexandersagen im *Seelentrost* und in der ersten niederländ. Historienbibel, in: Münstersche Beiträge zur Niederdeutschen Phil., Niederdeutsche Studien 6, Köln, Graz 1960, S. 78–104.

b) Meister Babiloth

In der ersten Hälfte des 15. Jhs. entstand die *Cronica Alexandri des großen Königs*, Verfasser ist der sonst unbekannte Meister Babiloth. Seine Alexanderchronik ist eine Prosaübersetzung der *Historia de preliis*, die im ersten Teil der Rez. I^2, im zweiten Teil I^3 folgt. Die Entlehnungen aus Walter von Châtillon und der pseudoaristotelischen Schrift *Secreta secretorum* befanden sich wahrscheinlich schon als Interpolationen in der Vorlage.

Babiloth liefert eine wortgetreue Übersetzung, bei der ihm zahlreiche Mißverständnisse und Fehler unterlaufen. Trotzdem war sein Werk erfolgreich. Das niederdeutsche Original ist in neun mittel- und oberdeutschen Handschriften überliefert. Im Niederdeutschen lebte es als Volksbuch im Druck weiter (Rostock 1478 u. ö.), wobei es durch zwei Auszüge aus dem Alexanderbuch von Johann Hartlieb (Alexanders Besuch bei seiner Mutter, Auflösung des Alexanderreiches in den Diadochenkämpfen) erweitert wurde.

Babiloth:

A. Ausfeld, in: Fs. der badischen Gymnasien, Karlsruhe 1886.

S. Herzog, Die Alexanderchronik des Meisters Babiloth, Progr. des Eberhard-Ludwig-Gymnasiums in Stuttgart, 1897 und 1903 (mit Teiledition).

Fr.-F. Siggelkow, Studien zu den mittelniederdeutschen Volksbüchern, Diss. Greifswald 1929.

Cary, S. 51.

S. Schmidtgall, Vorstudien zu einer Gesamtausgabe der Alexandergeschichte des Meister Babiloth, Diss. Berlin 1961.

Brummack, S. 25 f.

c) *Johann Hartlieb*

Die erfolgreichste aller mittelalterlichen deutschen Alexanderdichtungen ist das Alexanderbuch des Johann Hartlieb. Im Gegensatz zu den meisten anderen Dichtern sind wir über sein Leben und die Entstehung des Werkes zuverlässig informiert.

Johann Hartlieb stammt aus der Dienerschaft am herzoglichen Hof in Neuburg und ist um 1400 geboren. Von Herzog Ludwig dem Bärtigen (1413–1447) gefördert, geht er zum Medizinstudium nach Wien, wo er die Doktorwürde erwirbt. Seit 1440 ist er Leibarzt und Diplomat im Dienst Herzog Albrechts III. (1438–1460) und später bei dessen Sohn Herzog Siegmund in München. Hartlieb war verheiratet mit einer Tochter Albrechts aus dessen ungültiger Ehe mit Agnes Bernauerin. Er starb als wohlhabender Münchner Bürger im Jahre 1468.

Insgesamt 13 Werke hat Hartlieb, vorwiegend auf Bestellung, aus dem Lateinischen übersetzt. Meistens behandelte er magisch-mantische (z. B. Onomatomantie, Geomantie, Chiromantie) und naturwissenschaftliche Themen. Von seinen literarischen Werken ist das Alexanderbuch, das um 1444 entstand, das bedeutendste.

In seiner Widmung sagt Hartlieb, er habe das Buch auf Wunsch des Herzogs und seiner Gemahlin Anna von Braunschweig geschrieben, weil es viele *Stück und Capitel inhält / dadurch ein Fürste groß adelich Tugend und Mannheit / hören / sehen und auch erlangen mag*. Gleichzeitig wollte er wahrscheinlich mit diesem Werk dem Herzog seinen Dank abstatten, denn er hatte bei der Judenvertreibung aus München das Gebäude der Judenschule als Wohnhaus geschenkt bekommen.

Seine Quelle nennt Johann Hartlieb *Historia Eusebii*, doch handelt es sich um Leos *Nativitas et historia Alexandri Magni regis*, das er in einer Fassung der *Bayerischen Rezension* benutzte. Als Vorlage diente ihm vielleicht die Handschrift P, die aus Tegernsee stammt, oder ein nahe verwandter Text. Ihr folgt er fast ausschließlich, erst am Ende der Alexandersage berichtet er noch über den Zug des Ptolemäus nach Sachsen und verweist auf das Buch *De origine Saxonum*.

Hartliebs Werk ist keine wortgetreue Übersetzung wie Babiloths Alexanderchronik, sondern eine freie Bearbeitung des Textes. Dem Wunsch seiner Auftraggeber gemäß schreibt er eine Fürstenlehre, aber gleichzeitig will er seine Leser unterhalten. Deshalb erweitert er den Text, wo es die Verständlichkeit erfordert oder wo er sein gelehrtes Wissen anbringen kann. Hartliebs Sprache ist in Wortwahl (Latinismen, wörtliche Übersetzungen) und in der Syntax vom Lateinischen beeinflußt, doch schreibt er einen flüssigen und leicht verständlichen Stil.

So ist es nicht überraschend, daß diese Alexanderdichtung das größte Echo gefunden hat. Sie ist in 14 Handschriften überliefert, der Text der *Collatio* auch selbständig unter dem Titel *König Dindimus buech* (Heidelberg, Cpg. 172). Zum Volksbuch aber wurde es erst durch den Druck. Im Jahre 1473 erscheint die erste Ausgabe in Augsburg bei Johann Bämler. Es folgen neun weitere Inkunabeldrucke und zahlreiche Auflagen im 16. und 17. Jh. Hans Sachs benutzte Hartliebs Alexanderbuch als Quelle für sein Drama, Peder Pedersen Galther übersetzte es ins Dänische (1584).

Die Bewunderung, die das Publikum Hartliebs Werk entgegenbringt, wird von den Historikern seiner Zeit nicht geteilt. Zum ersten Mal erfahren wir, daß sich die kritische Geschichtsschreibung von der romanhaften Geschichtserzählung distanziert. Johannes Turmair (Aventinus) erwähnt Hartliebs Alexander in seiner *Bayerischen Chronik* und wirft ihm vor, er habe schlecht übersetzt: »Der doctor hat des lateins zue wenig künt, hat vil drein gesezt und darzue von kurzweil wegen tan, das nur getichte rokenmärl sein.«

Johannes Hartlieb:

S. Riezler, Geschichte Baierns, Bd. III, Gotha 1896, S. 867–870.

K. Drescher, Johann Hartlieb. Über sein Leben und seine schriftstellerische Tätigkeit, in: Euphorion 25 (1924), S. 225–241; S. 354–370; S. 569–590; Euphorion 26 (1925), S. 341–367; 481–564.

R. Newald, Johannes Hartlieb, in: Verf. Lex. II, 195–198.

W. Schmitt, Johann Hartlieb, in: Neue deutsche Biographie VII, Berlin 1966, 722–723.

Alexanderbuch:
Edition:

Johann Hartlieb, *Das buoch der geschicht des grossen allexanders,* hg. von R. Benz, Jena 1924 (Die deutschen Volksbücher 6; Edition nach zwei Hss. und Drucken des 15. Jahrhunderts).

Literatur:

J. Turmair, gen. Aventinus, Bayer. Chronik, hg. von M. Lexer, München 1882, S. 153ff. und S. 337.

H. Becker, Zur Alexandersage, in: ZfdPh. 23 (1891), S. 424f.

Ders., Zur Alexandersage. Der Brief über die Wunder Indiens bei Johannes Hartlieb und Sebastian Münster, in: Fs. für O. Schade, Königsberg 1896, S. 1–26.

S. Hirsch, Das Alexanderbuch Johann Hartliebs, Palaestra 82, Berlin 1909.

E. Travnik, Über eine Raaber Handschrift des Hartliebschen Alexanderbuches, in: Münchner Museum für Phil. des Mittelalters und der Renaissance 2 (1913/14), S. 211–221.

H. Poppen, Das Alexander-Buch Johann Hartliebs und seine Quellen, Diss. Heidelberg, Freiburg 1914.

Cary, S. 42 f.
Rross, A. h., S. 49 f.
Brummack, S. 61–64.
Gesamtkatalog der Wiegendrucke, 445 ff.
Ross, Ill. Med. Al.-Books, S. 131–152.

5. *Alexander und Anteloye*

Die Märchenepisode *Alexander und Anteloye* geht wahrscheinlich auf ein Exempel des 12. Jhs. zurück. Die älteste Version findet sich im hebräischen Alexanderroman. Hier wird erzählt, wie Alexander während seines Zuges an einem Brunnen den Zwergenkönig *Antalonia* trifft. Der Zwerg berichtet, daß sein Volk, durch besondere Steine unsichtbar gemacht, gerade eine Hochzeit feiert. Dann warnt er Alexander vor seinen treulosen Dienern. Um sie ihm anzuzeigen, schlägt er sie am nächsten Tag mit derben Hieben im Schutze seiner Unsichtbarkeit.

Von diesem Märchen gibt es im Deutschen zwei verschiedene Fassungen. Eine längere Version, die im ganzen dem Text des hebräischen Alexanderromans folgt, erweitert den ersten Teil der Erzählung durch die breite Schilderung der Hochzeit und eines Zwergenturniers. Sie findet sich in dem Auszug aus Ulrich von Etzenbach, den Heinrich von München zur Fortsetzung von Rudolfs *Weltchronik* benutzt (457 Verse). Unabhängig vom Alexanderroman ist diese Version auch in einer Dresdner Handschrift (M 42, 488 Verse) überliefert.

Dagegen ist der Text, der in Ulrichs *Alexander* zu Beginn des 9. Buches eingefügt ist, stark verkürzt (288 Verse). Hier wird die Prügelszene auf wenige Verse reduziert und als *unfuoge* gedeutet. Der Ursprung dieser Fassung ist nicht ganz sicher, wahrscheinlich stammt die Kürzung von einem späteren Bearbeiter von Ulrichs Werk.

Edition:
D. J. A. Ross, Alexander and Antilôis the Dwarf King, in: ZfdA 98 (1969), S. 292–307 (synoptischer Druck der beiden Fassungen).

Literatur:
A. Witte, Alexander und Anteloye, in: Verf. Lex. I, 61–63 (Nachtrag: K. Hannemann, V, 33).
H. Niewöhner, Zu Stammlers Verfasserlexikon, Buchstabe A–N, in: ZfdPh. 65 (1940/41), S. 191.
Fr. Pfister, Alexander und Anteloie, in: GRM 29 (1941), S. 81–91.

6. Die dramatischen Bearbeitungen des Alexanderstoffes

Seit dem 15. Jh. gibt es auch dramatische Bearbeitungen der Alexandersage. Unter den Aufführungen der Lübecker Fastnachtspiele, die aber durchweg ernste Themen behandelten, finden wir für das Jahr 1446 *Alexander und Anteloe*, 1467 *Alexander und die Könige von Morland* und sechs Jahre später das Stück *Alexander wollte das Paradies gewinnen.* Zwar ist keiner dieser Texte erhalten, doch geben uns die Titel Aufschluß über den Inhalt. Es handelte sich um die Märchenerzählung von Alexander und dem Zwergenkönig, Alexanders Besuch bei der Königin Kandake und sein Zug zum Paradies. Alle drei Themen wurden wahrscheinlich wegen ihres moralischen Gehaltes gewählt (Warnung vor schlechten Ratgebern und vor Übermut).

Die erste erhaltene dramatische Alexanderdichtung stammt aus dem 16. Jh. Es ist die *Tragedia mit 21 Personen von Alexandro Magno dem könig Macedonie, sein geburt, leben vnd endt,* die Hans Sachs im Jahre 1558 schrieb. Im Prolog nennt der *Ernholdt* die Quellen: es sind Plutarch und Eusebius, der als Verfasser der *Historia de preliis* galt, und zwar benutzte Hans Sachs die deutsche Übersetzung Hartliebs. Auch bei ihm überwiegt die moralische Tendenz. Deshalb betont er Alexanders Gewaltherrschaft in den Szenen mit Klitus und Kallisthenes und konfrontiert ihn mit dem Weisen Calanus. Im Epilog warnt der *Ernholdt* vor tyrannischer Regierung. Trotz der Einteilung in sieben Akte besitzt die *Tragedia* keinerlei dramatischen Aufbau. Nur eine Aufführung (St. Gallen 1665) ist bekannt. Die gleiche moralische Tendenz zeigt das kurze Spiel *Das gesprech Alexandri Magni mit dem philosopho Diogeni,* das Hans Sachs 1560 schrieb.

Lübecker Fastnachtspiel:
EHRISMANN, II, 1, S. 249.

Hans Sachs:
Hans Sachs, hg. von A. VON KELLER und E. GOETZE, Bd. 13, BlVSt. 149, Tübingen 1880, S. 477–529 und S. 580–591.
H. BECKER, in: Fs. für O. SCHADE, S. 22ff.
S. HIRSCH, Das Alexanderbuch Johann Hartliebs, S. 133f.

Außer den Vor- und Zwischenstufen, die wir für die Überlieferungsgeschichte vieler Werke rekonstruieren müssen, und den Lübecker Fastnachtspielen sind mindestens zwei Alexanderdichtungen verloren. Rudolf von Ems nennt unter den älteren Autoren, die den Stoff behandelten, zwei, deren Werke nicht erhalten sind.

Von Berthold von Herbolzheim sagt Rudolf, daß er für den *edelen Zäringaere* gedichtet habe. Die Herren von Herbolzheim waren Ministerialen der Herzöge von Zähringen, wahrscheinlich dichtete Berthold für den mächtigsten von ihnen, seinen Namensvetter Berthold V. (1186–1218). Ob dieses Werk die Zwischenstufe zum *Basler Alexander* (b) war, ist ungewiß. Da alle anderen Quellen fehlen, sind wir auf Rudolfs Verse angewiesen:

»dem edelen Zäringaere
tichtes durch sîner hulde solt
von Herbolzheim her Berhtolt,
der hât als ein bescheiden man
gevuoge und wol gesprochen dran
und tet bescheidenlîche erkant
daz er von im geschriben vant.
Doch hât er getihtet niht
des diu histôrje von im giht,
daz der zehende möhte wesn
des ich von ime hân gelesn.« (v. 15772–15782)

Der zweite Dichter, den Rudolf nennt, ist Biterolf:

»Ein vruot her Biterolf der hât
ouch durch sîner vuoge rât
getiht ein neizwaz maere
von dem wîsen wunderaere
als mir ist von im geseit.
dêstwâr, des ist mir niht leit:
ob des sprüche als ebene gânt
als ebene sîniu liet stânt,
sô sol er wohl vollevarn
und die wârheit dran bewarn
daz er von im iht anders jehe
wan daz er geschriben sehe:
swâ diu maere spellent sich,
dâ sol er hoeren, der bit ich,
und dienez iemer ûf mîn zil! – (v. 15789–15803)

Als Heimat des Dichters kommt Thüringen in Frage, da im *Wartburgkrieg* ein Dichter Biterolf auftritt und der Name in Erfurt für die Jahre 1212 und 1217 urkundlich belegt ist (*Conradus biterolphus, Gerhart bit'olf*). Da aber zur gleichen Zeit auch in Freiburg eine Familie Biterolf lebte (*Chuno bitterolf*, urkundlich 1213), muß die Frage offen bleiben.

Neben diesen beiden Dichtern, deren Werke nicht erhalten sind, ist ein Alexanderfragment überliefert, das zu keiner der bekannten Dichtungen gehört. Es ist denkbar, daß es sich dabei um eine der beiden verlorenen Alexanderdichtungen handelt. Das Bruchstück befindet sich im Hessischen Staatsarchiv in Marburg (aus Waldeck) und gehörte wahrscheinlich zu einer Handschrift des 13. Jhs., die auch Heinrich von Veldekes *Eneid* enthielt. Dichter wie Schreiber stammen aus dem mitteldeutschen Sprachraum. Erhalten sind 84 Verse aus der Vorgeschichte (Nektanebussage) und Jugend Alexanders. Quelle ist die *Historia de preliis*, die auch für die Erweiterung des *Basler Alexander* benutzt wurde. »Es hat also nach Ausweis der Fragmente neben *Vorauer* und *Straßburger Alexander* und der Vorstufe des *Basler Alexander* eine weitere ältere Alexanderdichtung mit gleicher Auffassung der Herkunft Alexanders wie im *Basler Alexander* gegeben, die in Sprachform, Stil, Vers- und Reimgestaltung neben den *Straßburger Alexander* gestellt werden kann.« (G. Schiebs).

Berthold von Herbolzheim:

K. Halbach, in: Verf. Lex. I, 210f.

W. Stammler, Wort und Bild. Studien zu den Wechselbeziehungen zwischen Schrifttum und Bildkunst im Mittelalter, Berlin 1962, S. 74–76.

X. von Ertzdorff, Rudolf von Ems, S. 398f.

Biterolf:

E. Schröder, Erfurter Dichter des 13. Jahrhunderts, in: ZfdA 51 (1909), S. 143–156.

Ders., Biterolf, in: AfdA 34 (1910), S. 191f.

J. van Dam, Biterolf, in: Verf. Lex. I, 236–238.

X. von Ertzdorff, Rudolf von Ems, S. 399.

Alexanderfragment:

G. Schiebs, Ein neues Alexanderfragment, in: PBB 90 (Halle 1968), S. 380–394.

8. Alexander in den deutschen Chroniken und Historienbibeln

In den Weltchroniken wie in vielen Historienbibeln des Mittelalters hat Alexander seinen festen Platz.

Der Dichter des *Annoliedes* (um 1100) erwähnt in seiner knappen Darstellung der Welt- und Heilsgeschichte Daniels Traum und bezieht dessen drittes Tier auf den *Criechiskin Alexandrin.* In 30 Versen (v. 207–236) erzählt er Alexanders Feldzug ans Ende der Welt, seinen Besuch bei den sprechenden Bäumen und seine Himmelsfahrt. Ausführlicher ist nur die Tauchfahrt behandelt. Aus dem *Annolied* oder seiner Vorlage hat auch der Verfasser der *Kaiserchronik* geschöpft, dessen Verse über Alexander (v. 546–564) weitgehend mit denen im *Annolied* übereinstimmen.

In der *Sächsischen Weltchronik* (1231) berichtet Eike von Repgowe von der Einschließung der Juden durch Alexander und von der Gründung Alexandrias. Auch die Sage, daß die Sachsen und Schwaben von Alexanders Soldaten abstammen, wird angeführt. Interessierten Lesern empfiehlt der Autor: *De dese wunder al wil weten, de lese Alexandrum Magnum unde dat bok Machabeorum.*

Die *Weltchronik* Rudolfs von Ems (um 1250) bricht mitten in dem Bericht über die jüdischen Könige ab. Seine Fortsetzer benutzten bereits vorhandene Werke (Auszug aus Ulrich von Etzenbach, Jansen Enikel).

Jansen Enikel gibt in seiner *Weltchronik* (nach 1277) die umfangreichste Darstellung Alexanders innerhalb der deutschen Chroniken. Der Paradieszug, die Tauch- und Himmelsfahrt und Alexanders Gespräch mit den sprechenden Bäumen werden ausführlicher erzählt.

Schließlich berichtet Jakob Twinger von Königshofen in seiner *Straßburger Weltchronik* (begonnen 1382) über Alexanders Abstammung, seine Jugendzeit und seine Feldzüge bis zum Sieg über Poros. Nach der Erzählung der Himmels- und Tauchfahrt verweist er, wie Eike von Repgowe, seine Leser auf andere Bücher über Alexander: *der es aber gerne wuste, der lese die historie und das bouch das von Allexanders leben seit: do vindet men das alles und vil andere wunderliche ding.*

Die *oberdeutsche Historienbibel* (I) fügt eine Erzählung *Von dem kúng Alexander* zwischen die biblischen Berichte von Hiob und Esther ein. Ausführlicher behandelt werden der Paradieszug, die Meer- und Himmelsfahrt, Alexanders Besuch in Jerusalem, die Einschließung der zehn Stämme und die Überführung der Gebeine des Jeremia nach Alexandria. Als Quellen dienten Jansen Enikels *Weltchronik* und Petrus Comestor. Die *niederdeutsche Historienbibel* ist aus dem Mittelniederländischen übersetzt. Die Alexandersage ist in der gleichen Fassung aufgenommen, die sich im *Großen Seelentrost* findet, Quelle ist wahrscheinlich eine interpolierte *Historia scholastica* des Petrus Comestor.

Chroniken:
Editionen:

Das Annolied, hg. von M. Roediger, MGH, Deutsche Chroniken I, 2, Hannover 1895, S. 63–132.

Kaiserchronik eines Regensburger Geistlichen, hg. von E. Schröder, MGH, Deutsche Chroniken I, 1, Hannover 1892.

Sächsische Weltchronik, hg. von L. Weiland, MGH, Deutsche Chroniken II, Hannover 1877, S. 1–279.

Jansen Enikels Weltchronik, hg. von Ph. Strauch, MGH, Deutsche Chroniken III, Hannover und Leipzig 1900, S. 1–596.

Chronik des Jakob Twinger von Königshofen, hg. von C. Hegel, München 1870 (Chroniken der deutschen Städte, Bd. 8).

Literatur:

W. Stammler, Bebilderte Epenhandschriften, in: Wort und Bild, S. 146ff. und S. 150f.

Ross, A. h., S. 37–40.

Ross, Ill. Med. Al.-Books, S. 80–106 (Jansen Enikel), S. 126–130 (Jakob Twinger), S. 153–155 (*Sächsische Weltchronik*).

Historienbibeln:
Editionen:

J. F. L. Th. Merzdorf, Die deutschen Historienbibeln des Mittelalters, BlVSt. 100, Tübingen 1870, S. 443–452.

S. S. Hoogstra, Prozabewerkingen van het leven van Alexander den Groote in het Middelnederlandsch, Tekst I, s'Gravenhage 1898 (Text der mittelniederländischen Historienbibel).

A. J. Barnouw, A Middle Low German Alexander Legend, 1929.

Literatur:

H. Vollmer, Materialien zur Bibelgeschichte und religiösen Volkskunde des Mittelalters, Bd. I–IV, Berlin 1912ff.

M. Andersson-Schmitt, in: Münstersche Beiträge zur Niederdeutschen Phil., S. 78–104.

Ross, Ill. Med. Al.-Books, S. 107–125.

III. Das mittelalterliche Alexanderbild

1. *Das Alexanderbild in der Literatur*

Die Beurteilung Alexanders reicht im Mittelalter von unkritischer Bewunderung bis zu Ablehnung und Verachtung. Innerhalb dieses breiten Spektrums ist eine literarische Alexanderfigur jedoch nicht fixiert, vielmehr stattet jeder Dichter sie mit unterschiedlichen, oft widersprüchlichen Zügen aus.

Schon in der Antike lassen sich drei verschieden Auffassungen von Alexander unterscheiden. Während wenige Historiker und Biographen versuchen, ein objektives Bild zu geben, entsteht eine viel breitere naiv-verherrlichende Literatur (repräsentiert durch den Alexanderroman und die *Epistola*) und gleichzeitig das stoisch-kynische Schrifttum, in dem Alexander negativ beurteilt wird (Alexander und die Brahmanen, die Anekdoten über die Begegnung mit Diogenes und dem Seeräuber Dionides).

Im Mittelalter geht die objektive Beurteilung Alexanders weitgehend verloren. Die beiden anderen Auffassungen werden in das mittelalterliche Alexanderbild übernommen. Hinzu kommt die christliche Interpretation Alexanders, die sich auf seine Erwähnung in der Bibel stützt. Damit ist er ein wichtiges Glied in der Welt- und Heilsgeschichte. So kann er, auch als Heide, den Willen Gottes vollziehen. Durch seinen Kampf gegen die Perser, die häufig ausdrücklich als Heiden bezeichnet werden, und durch das Einschließen von Gog und Magog (oder der zehn jüdischen Stämme) wird er zur *Geißel Gottes* (Rudolf von Ems). Während Lamprecht noch Alberichs Bewunderung für seinen Helden mit der Bemerkung einschränkt, daß Alexander Heide war, gibt Ulrich von Etzenbach ihm sogar christliche Züge (Aristoteles rät ihm, die Bibel zu lesen) und vergleicht ihn mit den Königen des Alten Testamentes. Gleichzeitig lebt im religiösen Schrifttum die antike Verurteilung Alexanders weiter. In den Predigt- und Exemplasammlungen werden eine negativen Charaktereigenschaften, seine *superbia (Großer Seelentrost)*, seine Maßlosigkeit, Trunksucht und Grausamkeit kritisiert. Sein Schicksal wird selbst zu einem Exempel der *vanitas* (*Iter ad paradisum*, *Straßburger Alexander*), sein Anspruch auf Göttlichkeit führt schließlich sogar zu einer Gleichsetzung mit dem Antichrist.

Dagegen führt die weltliche Rezeption die Tradition des Alexanderromans weiter, so daß Alexander durchweg positiv gesehen wird. Er ist der *wunderliche Alexander*, bei dessen Geburt die Erde bebt und die Sonne sich verfinstert, der ein ungewöhnliches Aussehen besitzt (Haare, Augen usw.) und in drei Tagen so schnell wächst wie ein anderes Kind in drei Monaten. Verstärkt wird dieses Bild durch seine geheimnisvolle Abstammung von einem ägyptischen König und Zauberer, der sich als Gott ausgibt und als Drache erscheint. Alexander erlebt unerhörte Abenteuer und stößt bis an die Grenzen der Welt vor (Säulen des Herakles), ja sogar darüber hinaus (Zug zum Paradies, Tauch- und Himmelsfahrt).

Das Mittelalter ergänzt dieses Bild durch viele neue Züge. Alexander ist der ideale König, der die besten Erzieher bekommt und deshalb alle positiven Eigenschaften entwickelt: Großmütigkeit, Freigebigkeit, Mut und Selbstbeherrschung. Als Vorbild wird er von vielen Dichtern angeführt. Hartmann von Aue vergleicht Erecs *milte* mit der Alexanders, Walther von der Vogelweide konfrontiert den geizigen König Philipp mit dem freigebigen Alexander. Da an ihm der gesamte mittelalterliche Tugendkatalog dargestellt werden kann, sind die Alexanderdichtungen gleichzeitig Fürstenlehren.

Schließlich ist Alexander auch ein höfischer Ritter, der sich den gesellschaftlichen Regeln gemäß benimmt und sein Leben in den Dienst der Minnedamen stellt (Roxane, Kandake). Hier setzt jedoch später auch Kritik an Alexander ein, seine Abhängigkeit von den Frauen macht ihn, wie auch Samson oder Virgilius, zum Minnesklaven.

Literatur:

E. GRAMMEL, Studien über den Wandel des Alexanderbildes in der deutschen Dichtung des 12. und 13. Jhs., Diss. Frankfurt, Limburg 1931.

A. HÜBNER, Alexander der Große in der deutschen Dichtung des Mittelalters, in: Kleine Schriften, S. 187–197.

CARY, S. 77–274.

2. *Alexander in der bildenden Kunst*

»Seine ikonographische Bedeutung in der abendländischen Kunst erhält Alexander ... nicht so sehr als geschichtliche Persönlichkeit, wie als Repräsentant bestimmter moralischer Begriffe, eine Rolle, die ihm auf Grund stark sagenhafter Überlieferungen zuteil wird« (W. STAMMLER).

Die häufigsten Dokumente der bildlichen Darstellung sind die Handschriften der Alexanderdichtungen. Neben gelegentlichen

Textillustrationen scheint es schon früh einen Bilderzyklus zum Alexanderroman gegeben zu haben, den Ross aus den Bilderhandschriften rekonstruiert hat. Die Verwandtschaft zu einem Mosaik in Baalbek sgricht für eine sehr frühe Entstehung der Bilder (4. Jh), die vielleicht schon im Original enthalten waren. Im Mittelalter scheinen sie durch eine italienische Handschrift von Leos lateinischer Übersetzung (Rez. I[2]) bekannt geworden zu sein.

Außerhalb der Handschriften sind zwei Motive der Alexandersage häufiger zu finden. Neben Hektor und Julius Cäsar ist Alexander einer der drei antiken Herrscher, die, zusammen mit drei jüdischen und drei mittelalterlichen Königen, zu den *neun Helden* gezählt werden. In der Funktion finden wir ihn auf einem Bildteppich des Herzogs Jean de Berry oder auf den Fresken des Schlosses Runkelstein in Südtirol (um 1400).

Am häufigsten dargestellt wurde im Mittelalter Alexanders Himmelsfahrt mit Hilfe der Greifen. Hier verband sich das Interesse an der naturwissenschaftlichen Kuriosität entweder mit einer moralischen Verurteilung von Alexanders Hoffahrt oder mit einer Präfiguration der Himmelfahrt Christi. In der byzantinischen Kunst ist das Motiv seit dem 10. Jh. bekannt, wie das Relief am Peribleptoskloster in Mistra und die byzantinische Stickerei auf dem Kilianspanier in Würzburg zeigen. In der abendländischen Kunst tritt das Bild vor allem als Relief in romanischen, seltener in gotischen Kirchen auf (San Marco in Venedig, Münster in Basel, Freiburg, Straßburg u. a.).

Alexander in der Kunst:

A. L. Meissner, Bildl. Darstellungen der Alexandersage in Kirchen des Mittelalters, in: Archiv für das Stud. der neueren Sprachen und Litteraturen 68 (1882), S. 177–189.

W. Stammler, Alexander der Große, in: Reallexikon zur dt. Kunstgeschichte, Bd. I, Stuttgart 1937, 332–344 (mit Abbildungen und Bibliographie).

H. J. Gleixner, Das Alexanderbild der Byzantiner, Diss. München 1961.

Fr. Pfister, Alexander der Große in der bildenden Kunst, in: Forschungen und Fortschritte 35 (1961), 330–334 und 375–379.

H. J. Gleixner, Alexander der Große, in: Reallexikon zur byzantin. Kunstgeschichte, Bd. I, Stuttgart 1963, 96–99.

O. Holl, Alexander der Große, in: Lexikon der christl. Ikonographie, Bd. I, 1968, 94–96.

Handschriftenillustration:

D. J. A. Ross, Olympias and the Serpent. The Interpretation of a Baalbek Mosaic and the Date of the Illustrated Pseudo-Callisthenes, in: Journal of the Warburg and Courtauld Institutes 26 (1963), S. 1–21.

Ross, A. h., London 1963 (Ergänzung und Berichtigung in: Journal of the Warburg and Courtauld Institutes 30, 1967, S. 383–388).
Ross, Med. Ill. Al.-Books (mit zahlreichen Abbildungen).

Neun Helden:
R. L. Wyss, Die neun Helden. Eine ikonograph. Studie, in: Zschr. für schweiz. Archäologie und Kunstgeschichte 17 (1957), S. 73–106.
Ross, A. h., S. 107–111.
R. L. Wyss, Neun Helden, in: Lexikon für christliche Ikonographie, Bd. II, 1970, 235 f.

Himmelsfahrt:
Fr. Panzer, Der romanische Bilderfries am südl. Choreingang des Freiburger Münsters und seine Deutung, in: Freiburger Münsterblätter 2 (1906), S. 1–34.
R. S. Loomis, Alexander the Great's Celestial Journey, in: Burlington Magazine 32 (1918), S. 177 ff.
G. Millet, L'Ascension d'Alexandre, in: Syria 4 (1923), S. 85–133.
G. Dimitrokallis, L'Ascensione di A. Magno nell' Ital. de Medioevo, in: Thesaurismata 4 (1967), S. 214–222.
C. Settis Frugoni, An Ascent of Alexander, in: Journal of the Warburg and Courtauld Institutes 33 (1970), S. 305 ff.

Register

a) Register zum Text (Eigennamen, Titel anonymer Werke)

b) Register zur Sekundärliteratur

Sammlung Metzler

M 1 Raabe *Einführung in die Bücherkunde*
M 2 Meisen *Altdeutsche Grammatik I: Lautlehre*
M 3 Meisen *Altdeutsche Grammatik II; Formenlehre*
M 4 Grimm *Bertolt Brecht*
M 3 Meisen *Altdeutsche Grammatik II: Formenlehre*
M 6 Schlawe *Literarische Zeitschriften 1885–1910*
M 7 Weber/Hoffmann *Nibelungenlied*
M 8 Meyer *Eduard Mörike*
M 9 Rosenfeld *Legende*
M 10 Singer *Der galante Roman*
M 11 Moritz *Die neue Cecilia. Faksimiledruck*
M 12 Nagel *Meistersang*
M 13 Bangen *Die schriftliche Form germanist. Arbeiten*
M 14 Eis *Mittelalterliche Fachliteratur*
M 15 Weber/Hoffmann *Gottfried von Straßburg*
M 16 Lüthi *Märchen*
M 17 Wapnewski *Hartmann von Aue*
M 18 Meetz *Friedrich Hebbel*
M 19 Schröder *Spielmannsepik*
M 20 Ryan *Friedrich Hölderlin*
M 21 a, b (siehe M 73, 74)
M 22 Danzel *Zur Literatur und Philosophie der Goethezeit*
M 23 Jacobi *Eduard Allwills Papiere. Faksimiledruck*
M 24 Schlawe *Literarische Zeitschriften 1910–1933*
M 25 Anger *Literarisches Rokoko*
M 26 Wodtke *Gottfried Benn*
M 27 von Wiese *Novelle*
M 28 Frenzel *Stoff-, Motiv- und Symbolforschung*
M 29 Rotermund *Christian Hofmann von Hofmannswaldau*
M 30 Galley *Heinrich Heine*
M 31 Müller *Franz Grillparzer*
M 32 Wisniewski *Kudrun*
M 33 Soeteman *Deutsche geistliche Dichtung des 11. und 12. Jhs.*
M 34 Taylor *Melodien der weltlichen Lieder des Mittelalters I: Darstellung*
M 35 Taylor *Melodien der weltlichen Lieder des Mittelalters II: Materialien*
M 36 Bumke *Wolfram von Eschenbach*
M 37 Engel *Handlung, Gespräch und Erzählung. Faksimiledruck*
M 38 Brogsitter *Artusepik*
M 39 Blankenburg *Versuch über den Roman. Faksimiledruck*
M 40 Halbach *Walther von der Vogelweide*

M 41 Hermand *Literaturwissenschaft und Kunstwissenschaft*
M 42 Schieb *Heinrich von Veldeke*
M 43 Glinz *Deutsche Syntax*
M 44 Nagel *Hrotsvit von Gandersheim*
M 45 Lipsius *Von der Bestendigkeit. Faksimiledruck*
M 46 Hecht *Christian Reuter*
M 47 Steinmetz *Die Komödie der Aufklärung*
M 48 Stutz *Gotische Literaturdenkmäler*
M 49 Salzmann *Kurze Abhandlungen über einige wichtige Gegenstände aus der Religions- und Sittenlehre. Faksimiledruck*
M 50 Koopmann *Friedrich Schiller I: 1759–1794*
M 51 Koopmann *Friedrich Schiller II: 1794–1805*
M 52 Suppan *Volkslied*
M 53 Hain *Rätsel*
M 54 Huet *Traité de l'origine des romans. Faksimiledruck*
M 55 Röhrich *Sage*
M 56 Catholy *Fastnachtspiel*
M 57 Siegrist *Albrecht von Haller*
M 58 Durzak *Hermann Broch*
M 59 Behrmann *Einführung in die Analyse von Prosatexten*
M 60 Fehr *Jeremias Gotthelf*
M 61 Geiger *Reise eines Erdbewohners in den Mars. Faksimiledruck*
M 62 Pütz *Friedrich Nietzsche*
M 63 Böschenstein-Schäfer *Idylle*
M 64 Hoffmann *Altdeutsche Metrik*
M 65 Guthke *Gotthold Ephraim Lessing*
M 66 Leibfried *Fabel*
M 67 von See *Germanische Verskunst*
M 68 Kimpel *Der Roman der Aufklärung*
M 69 Moritz *Andreas Hartknopf. Faksimiledruck*
M 70 Schlegel *Gespräch über die Poesie. Faksimiledruck.*
M 71 Helmers *Wilhelm Raabe*
M 72 Düwel *Einführung in die Runenkunde*
M 73 Raabe *Einführung in die Quellenkunde zur neueren deutschen Literaturgeschichte* (bisher M 21 a)
M 74 Raabe *Quellenrepertorium zur neueren deutschen Literaturgeschichte* bisher M 21 b)
M 75 Hoefert *Das Drama des Naturalismus*
M 76 Mannack *Andreas Gryphius*
M 77 Straßner *Schwank*
M 78 Schier *Saga*
M 79 Weber-Kellermann *Deutsche Volkskunde*
M 80 Kully *Johann Peter Hebel*
M 81 Jost *Literarischer Jugendstil*
M 82 Reichmann *Deutsche Wortforschung*
M 83 Haas *Essay*
M 84 Boeschenstein *Gottfried Keller*
M 85 Boerner *Tagebuch*

M 86 Sjölin *Einführung in das Friesische*
M 87 Sandkühler *Schelling*
M 88 Opitz *Jugendschriften. Faksimiledruck*
M 89 Behrmann *Einführung in die Analyse von Verstexten*
M 90 Winkler *Stefan George*
M 91 Schweikert *Jean Paul*
M 92 Hein *Ferdinand Raimund*
M 93 Barth *Literarisches Weimar. 16.–20. Jh.*
M 94 Könneker *Hans Sachs*
M 95 Sommer *Christoph Martin Wieland*
M 96 van Ingen *Philipp von Zesen*
M 97 Asmuth *Daniel Casper von Lohenstein*
M 98 Schulte-Sasse *Literarische Wertung*
M 99 Weydt *H. J. Chr. von Grimmelshausen*
M 100 Denecke *Jacob Grimm und sein Bruder Wilhelm*
M 101 Grothe *Anekdote*
M 102 Fehr *Conrad Ferdinand Meyer*
M 103 Sowinski *Lehrhafte Dichtung des Mittelalters*
M 104 Heike *Phonologie*
M 105 Prangel *Alfred Döblin*
M 106 Uecker *Germanische Heldensage*
M 108 Werner *Phonemik des Deutschen*
M 109 Otto *Sprachgesellschaften des 17. Jahrh.*
M 110 Winkler *George-Kreis*
M 111 Orendel *Der Graue Rock (Faksimileausgabe)*
M 112 Schlawe *Neudeutsche Metrik*
M 113 Bender *Bodmer/Breitinger*
M 114 Jolles *Theodor Fontane*
M 115 Foltin *Franz Werfel*
M 116 Guthke *Das deutsche bürgerliche Trauerspiel*
M 117 Nägele *J. P. Jacobsen*
M 118 Schiller *Anthologie auf das Jahr 1782 (Faksimileausgabe)*
M 119 Hoffmeister *Petrarkistische Lyrik*
M 120 Soudek *Meister Eckhart*
M 122 Vinçon *Theodor Storm*
M 123 Buntz *Die deutsche Alexanderdichtung des Mittelalters*